MON CAH

GREEN POWER

ADELINE GADENNE
FRANÇOISE COUIC-MARINIER

ILLUSTRATIONS
MADEMOISELLE ÈVE (INTÉRIEUR)
ET ISABELLE MAROGER ((OUVERTURE)

SOLAR
EDITIONS

SOMMAIRE

Introduction

Le green, c'est bien plus qu'une couleur : c'est tout un monde empli de trésors pour la santé, la beauté et le bien-être ! Car, oui, les plantes ont du power ! Il existe une telle diversité d'herbes, de fleurs, d'arbres et d'algues qu'il n'est pas un domaine où le végétal n'apporte une solution. Dans ce cahier, on vous livre un bon nombre de green secrets — potions magiques, rituels beauté, astuces antistress, déco végétale, etc. — et de nombreuses idées pour vous ressourcer grâce à Mother Nature. #goodvibes !

Vous le verrez, connaître le nom latin, la biologie et les propriétés des plantes, c'est sympa. Mais les essayer, c'est encore mieux ! Tout en respectant les précautions d'emploi, vous découvrirez celles qui sont faites pour vous : le bon mélange à boire en infusion pour bien digérer, la meilleure eau florale pour nettoyer votre peau tout en douceur, le remède phyto qui vous relaxe vraiment selon votre humeur du jour, la déco en mode jungle pour oxygéner votre home sweet home… En prime, de nombreuses formules santé, forme et beauté à base d'huiles essentielles proposées par Françoise Couic-Marinier, la VIP de l'aromathérapie moderne. Bref, vous allez pouvoir expérimenter le monde végétal à travers vos cinq sens !

Le green power, c'est également une attitude : prendre les arbres ou les fleurs comme modèles, c'est rechercher la beauté, la simplicité, l'autonomie et la slow attitude… Les plantes ne se contentent pas d'être utiles, elles le font avec grâce et douceur pour l'humain et pour la planète ! La green attitude apparaît comme un bon moyen d'harmoniser notre mode de vie un peu speed avec des convictions personnelles écolo. Et même si le végétal devient ultra tendance, vous allez apprendre comment ne pas tomber dans les pièges commerciaux des marques qui surfent sur cette mode (haro sur le green washing !) pour, au contraire, dénicher les produits et les recettes authentiques. Green girls, let's go !

Test : Quelle green girl êtes-vous ?

Le végétal et la nature vous attirent irrésistiblement, mais quelle est votre attitude quand il s'agit de vous soigner, d'acheter un produit cosmétique ou de choisir un lieu de vacances ? Faites ce test et vous saurez ce qu'il vous manque pour devenir une green girl accomplie !

Lorsque le rhume s'empare de votre corps et de votre esprit...

- ◆ Vous vous préparez une tisane de thym au miel.
- ● Vous allez à la pharmacie et demandez des gélules aux plantes.
- ■ Vous cherchez sur Google « rhume + phytothérapie » pour découvrir les remèdes naturels possibles.

Que vous inspire l'utilisation des huiles essentielles ?

- ◆ Vous trouvez cette nouvelle approche de la santé et de la cosméto intéressante, mais vous restez avant tout fidèle à vos tisanes.
- ● Vous les utilisez en diffusion, mais demeurez prudente quant à leur emploi pour se soigner.
- ■ Ces petits flacons sont des ingrédients magiques pour composer des remèdes et des produits de beauté pour vous et vos amis !

Côté cosmétiques, vous êtes plutôt...

- ◆ Fidèle à quelques produits simples à base de plantes et astuces minimalistes.
- ● Prudente, vous préférez les produits labellisés bio.
- ■ Créative, vous mettez la main à la pâte.

Êtes-vous vraiment prête à payer cher pour des cosmétiques ?

- ◆ Non, vous trouvez plus simple (une huile végétale pure, par exemple) et du coup meilleur marché.
- ● Oui, s'ils sont vraiment safe et écolo.
- ■ Non, vous êtes plutôt tentée de les faire vous-même, avec des ingrédients bio, of course !

En cuisine, vous aimez par-dessus tout...

- ◆ Les légumes et fruits de saison. What else ?
- ● Les produits bio tout prêts (santé et efficacité au rendez-vous !).
- ■ Les nouvelles tendances green (buddha bowls, smoothies, etc.) à composer soi-même.

Que pensez-vous du mouvement vegan ?

- ◆ Vous respectez certes les animaux, mais vous n'êtes pas prête à sacrifier certaines habitudes simples comme sucrer vos tisanes avec du miel ou manger du fromage...
- ● C'est intéressant du point de vue écologique : l'élevage est l'une des grandes causes du réchauffement climatique !
- ■ Vous avez déjà acheté un livre de cuisine vegan et vous aimez cette approche nouvelle et inventive, respectueuse des animaux.

Face à un bel arbre qui en impose...

◆ Vous reconnaissez tout de suite l'espèce (chêne, frêne, etc.) et il vous évoque des souvenirs.

● Vous êtes tentée de faire un tree hug.

■ Vous observez les feuilles, l'écorce et tentez de reconnaître l'espèce.

Vous avez un long trajet à effectuer. Vous préférez, si c'est possible...

◆ Y aller en voiture et passer par des petites routes pour profiter du paysage.

● Aucun doute : le train est le moyen de transport le plus écolo (et on peut y faire une petite sieste).

■ Vous recherchez un covoiturage – qui sait, ce sera peut-être l'occasion de rencontrer une personne smart !

Vos vacances de rêve ?

◆ La maison de campagne familiale où vous réalisez vos cueillettes de thym, tilleul… pour l'année.

● Un séjour détox avec yoga et autres pratiques feel good et healthy.

■ Un stage de cuisine végétarienne avec théorie et pratique au programme.

On vous invite à un week-end entre copines à la campagne. Votre premier réflexe...

◆ Sortir vous balader dans les environs…

● Vérifier qu'il y a bien du Wifi pour pouvoir partager vos futures (et nombreuses) photos de nature sur Insta.

■ Oh my god ! Vous allez pouvoir utiliser une des applications nature que vous avez téléchargées sur votre smartphone.

Faites les comptes !

◆	●	■

Vous avez un maximum de ◆ : *Vous êtes une green witch en quête de nouvelles idées pour vous servir des plantes.*

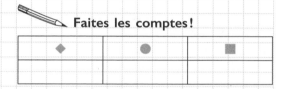

Vous êtes tombée dans le chaudron des plantes quand vous étiez petite ! Votre grand-mère vous préparait déjà une infusion au tilleul, dont vous n'avez jamais oublié les notes miellées. La nature, c'est vraiment votre élément. Vous aimez les remèdes naturels et avez hérité du bon sens pour reconnaître les plantes et les remèdes authentiques. Mais, bien sûr, vous avez encore à apprendre ! Une mise à jour de vos connaissances s'impose. Vous allez découvrir dans ce cahier les nouvelles formes de phytothérapie (gemmo, aromathérapie émotionnelle, etc.). Vous allez essayer certains rituels de slow cosmétique pour être encore plus belle ! Et puisque vous aimez la nature, plongez littéralement dedans, saison après saison !

Vous avez un maximum de ⬤ : *Vous êtes une écolo urbaine à la recherche d'une vie encore plus healthy.*

Vous combattez tout ce qui est toxique (pesticides, additifs artificiels…) et êtes sensible à la green attitude (vélo, bio, dodo !). Vous attendez des plantes une bouffée d'air frais et de chlorophylle pour échapper à la pollution et au stress de la jungle urbaine. Vous aimeriez bien réaliser vos propres préparations mais vous manquez de confiance en vous et de temps, alors vous préférez les remèdes végétaux en gélule et les mélanges d'huiles essentielles tout prêts. Il vous reste donc à apprendre comment distinguer les produits authentiques (plantes made in France, bon dosage, etc.) des formules commerciales et parfois inefficaces. Ce cahier va vous montrer qu'il n'est pas compliqué de préparer une tisane ou d'utiliser les huiles essentielles pour vous relaxer. Votre sensibilité à l'écologie sera bientôt comblée par la découverte de la permaculture et vous allez aussi oxygéner votre intérieur grâce à des conseils de green déco !

Vous avez un maximum de ▪ : *Vous êtes une green girl en herbe curieuse de tout ce qui est naturel.*

Un beau jour, vous avez eu un déclic grâce à une rencontre, une lecture, des vacances rando… Vous vous êtes alors sentie attirée par tout ce qui est green et, depuis, vous êtes à la recherche d'infos sur les activités et les achats écolo. Livres sur le jardinage bio, plantes d'intérieur, cuisine végétarienne, mais aussi vacances au vert… Vous êtes curieuse de tout ce qui vous rapproche de la nature. Une vocation ? Votre bonheur se trouve peut-être dans un hobby, voire un métier 100 % végétal. Apprenez dans ce cahier à connaître toute l'étendue des pouvoirs des plantes, capables de guérir mais aussi de prévenir les petits bobos. Riches en bons lipides et autres actifs botaniques, elles constituent de formidables ingrédients pour la cosmétique DIY. Sous forme d'élixirs floraux, elles peuvent tempérer les émotions. Les plantes savent même envoyer des messages d'amour !

Chapitre 1

Les plantes et la nature, mon « uni-vert »

Green girl en herbe ou avancée, vous aimez les plantes. Il faut dire qu'au-delà de leur charme fou, leur authenticité et leur slow attitude sont une véritable école qui nous enseigne à écouter notre corps et à ralentir le rythme. Alors, faites-vous plaisir : mettez du vert partout ! Cette couleur est considérée comme équilibrante et calmante en chromothérapie. Vous ressentez souvent ce besoin de vous rapprocher de la nature ? Cédez à vos pulsions et sortez dès que possible en forêt.

Green is the new black ! Vous n'êtes pas seule à apprécier le monde végétal, les plantes sont en résonance avec de nombreuses préoccupations actuelles : écologie, besoin de naturel, recherche de produits sains… Les herboristeries refleurissent et pour les cosmétiques, le label bio ne suffit plus : on veut faire soi-même ses produits de beauté naturels. Or, vous allez vite le voir, les plantes sont smart : elles savent se rendre indispensables pour fabriquer une multitude de produits très précieux.

Green power, quèsaco ?

Les grands principes

On redécouvre aujourd'hui avec force les pouvoirs du règne végétal. On l'avait presque oublié : les plantes sont tout simplement indispensables à l'humanité (l'inverse est malheureusement faux…). Et elles ne se contentent pas d'être utiles, elles le font avec grâce et beauté ! « Elles guérissent, nourrissent et embellissent », résume de manière chic le botaniste Jean-Marie Pelt. Quand on utilise régulièrement les plantes, se tissent des liens mystérieux d'amour avec ces green beauties. Et, petit à petit, avec la nature.

Notre Terre Mère est en feu !

Pachamama, notre Terre Mère, subit aujourd'hui de nombreux affronts : réchauffement climatique, déforestation, pollution chimique… Le green power implique donc une green attitude, car quand on aime la nature, on la respecte ! Le phénomène prend aujourd'hui tellement d'ampleur qu'il devient une marque d'appartenance : les régimes végétarien et vegan fédèrent de vraies amazones du green power.

Je sème le green power chez moi

Green home

On n'a jamais trop de plantes chez soi ! Orchidée, ficus ou encore yucca : ces belles vertes sont des compagnes qui ne demandent que peu d'attention et qui sont si généreuses en retour.

Qu'elles offrent un port ramassé ou luxuriant, elles rendent les lieux qu'elles occupent plus accueillants et plus vivants. Certaines auraient même un pouvoir dépolluant de l'air ambiant.

10 fruits et légumes par jour

En cuisine, n'ayez pas peur de faire déborder votre frigo et vos placards de salades, de noix, de graines à faire germer, de bonnes huiles et même d'algues : elles remplacent à merveille les produits animaux, et plus on en mange – de manière équilibrée –, meilleur c'est pour la santé. On ne peut pas en dire autant des aliments carnés. On vous dit 5 fruits et légumes par jour : et pourquoi pas 10 ? Quand on aime, on ne compte pas !

Je cultive la green attitude

On fait le tri !

Phénomène de mode oblige, il y a malheureusement green et green. D'un côté, sont proposés des produits industriels bio, destinés à inonder un marché de masse, et de l'autre, se créent des circuits alternatifs, de plus en plus nombreux, qui rivalisent d'inventivité (paniers paysans, cosmétiques made in France…).

Des produits locaux et de saison

Le green power, c'est faire le choix d'acheter des produits non seulement bio, mais aussi locaux et de saison. Résistez à la tentation des produits exotiques dont l'empreinte carbone pèse lourd sur le climat ! Tout en vous permettant de petits *guilty pleasures*, interrogez-vous sur le mode de fabrication et la provenance des

produits et favorisez au maximum leur recyclage. Une vraie green girl est une personne inspirante pour son entourage car elle met en pratique ses convictions écologiques.

Je récolte les fruits du green power

Une action magique sur le corps

Les plantes, sans même qu'on leur demande, fabriquent depuis la nuit des temps des actifs botaniques qui soignent et nous rendent belles. Profitez-en ! Pour les petits maux courants, place aux tisanes et aux flacons d'huiles essentielles : ces derniers sont aussi petits qu'ils sont puissants. Votre corps préfère des produits vivants plutôt que de la pétrochimie.

Antidote antistress

Des remèdes végétaux aux vertus apaisantes sont à votre disposition, à moins que vous préfériez un bain de forêt pour diminuer votre stress ? La nature produit une telle diversité de plantes bienfaisantes qu'il n'y a qu'à chercher un peu pour trouver celles qui, en plus d'être healthy, sont à votre goût en termes de couleur, d'odeur ou de saveur.

Plantes & bien-être

Le green power, parce qu'il s'inscrit dans une très longue tradition, permet un retour aux sources vertigineux : les femmes préhistoriques – green girls sans le savoir – employaient déjà des plantes aux vertus antidouleurs, antibiotiques ou anti-inflammatoires...
Des listes de plantes médicinales ont été rédigées dès l'Égypte ancienne, sur lesquelles figurait déjà l'aloe vera. Ce n'est que très récemment dans l'histoire humaine que la chimie a pris la place des plantes... Le corps humain est donc bien adapté aux remèdes naturels, tandis que les molécules chimiques l'agressent même si en même temps elles le soignent. Alors, dès que c'est possible, préférez les plantes !

Les actifs des plantes : comment ça marche ?

Des concentrés d'antioxydants

Les végétaux sont un vrai trésor pour la santé, et notamment pour celles qui recherchent une alimentation healthy : ils apportent le trio nutritif des glucides, des lipides et des protéines, mais aussi des substances

protectrices comme les minéraux, les vitamines et les antioxydants. Parmi ces derniers, les polyphénols, qui neutralisent les radicaux libres responsables du vieillissement prématuré de nos cellules, ne se trouvent que dans les plantes !

Une armoire à pharmacie 100 % naturelle !

Au-delà de l'alimentation, certaines plantes sont considérées comme médicinales car elles fabriquent des « actifs » bénéfiques à notre santé et à notre beauté : des molécules antimicrobiennes, des composés volatils antistress, des acides gras bons pour la peau, etc. Certaines plantes médicinales concentrent leurs molécules actives dans les feuilles (thym, mélisse, ortie), d'autres dans leurs fleurs (lavande, mauve, aubépine). Parfois, les actifs sont dans les racines (cas de la valériane ou du ginseng).

Pour extraire les actifs botaniques, il faut chauffer, presser ou encore faire macérer les plantes : en tisane, sous forme d'huile essentielle ou de macérat, le green power, c'est tout un art !

Les plantes sont smart !
Le green power se nourrit de récentes découvertes tout simplement révolutionnaires sur la biologie végétale. La découverte la plus folle : les plantes pensent ! Plus précisément, elles sont capables de mémoriser des événements climatiques et d'adapter leur croissance, d'envoyer des messages à leurs voisines en cas de danger et même d'écouter des sons et d'y réagir. Les plantes n'ont pourtant pas de système nerveux centralisé : plus smart que cela, elles sont tout entières leur propre cerveau, des pieds à la tête... ou des racines aux feuilles !

Les plantes fabriquent-elles tout ça rien que pour nous ?

En vérité, non... Ces actifs botaniques sont avant tout utiles aux plantes elles-mêmes, qui les produisent pour attirer les insectes pollinisateurs, se défendre contre des parasites, résister aux rayons UV, etc.

Des actifs à utiliser avec précaution

C'est le moment de rappeler que le monde végétal est aussi pourvoyeur de poisons... Certaines molécules issues des plantes sont tout simplement infréquentables tandis que d'autres doivent être employées avec modération. Par exemple, l'aloïne de l'aloe vera est laxative en petite quantité et devient toxique pour les intestins à plus forte dose. Tournez-vous vers un professionnel (pharmacien, herboriste ou naturopathe...) en cas de doute.

Les plantes médicinales sont parfois diluées de manière à ce qu'il ne reste que leur « énergie » : c'est le cas de l'homéopathie ou encore des élixirs floraux (les fameuses Fleurs de Bach®), des remèdes naturels à la fois très doux et efficaces.

Ma « green team »

Quelles sont mes plantes chouchous ?

Vous ne vous doutez pas des bienfaits de certaines plantes ! Vous seriez surprise de savoir que certaines de vos fleurs préférées ont des propriétés étonnantes. En fait, tellement de plantes sont actives que pour un même effet santé, bien-être ou cosméto, de nombreuses possibilités s'offrent à vous : **si vous recherchez la détente**, vous aurez le choix entre mélisse, aubépine ou encore lavande ; **pour la digestion**, entre romarin, menthe poivrée ou camomille… Oh lucky you ! Vous avez ainsi la possibilité de constituer votre trousse à partir de vos plantes chouchous.

Votre « green team » : vos fleurs et herbes préférées, qui non seulement vous font du bien, mais aussi vous inspirent car elles vous évoquent des souvenirs agréables.

Renseignez-vous sur les vertus des plantes de votre green team !

Par exemple, la pâquerette, petite fleur très régressive qui nous plonge dans nos souvenirs d'enfance, donne l'huile de bellis, qui raffermit remarquablement la peau.

Les pétales de *Rosa centifolia*, une espèce de rose, se prennent en infusion pour apaiser l'anxiété. Vous l'aimez ?

Autre exemple : l'huile essentielle d'immortelle (ou hélichryse) est tout simplement magique contre les hématomes… On la trouve notamment en Corse dans le maquis. Son parfum est unique.

Intégrez vos plantes fétiches à vos rituels santé, beauté, antistress, etc., pour allier bien-être et plaisir.

Je note ici :

- La fleur de mon enfance : ....
- Le beau bouquet que je préfère : ....
- Le parfum végétal qui me transporte : ....
- Mon herbe aromatique préférée : ....
- La plante qui symbolise les vacances : ....

Le retour des herboristes

Les boutiques de spécialistes refleurissent...

On trouve aujourd'hui facilement des plantes médicinales – en vrac ou en sachets pour préparer des tisanes – et des remèdes végétaux sous forme de médicaments ou de compléments alimentaires. Ils ont maintenant conquis les étagères des pharmacies et les rayons des magasins bio ! Il existe même des enseignes spécialisées : certaines sont de très anciennes adresses, telles que l'Herboristerie du Palais-Royal à Paris et l'Herboristerie du Père-Blaize à Marseille. Et depuis ces dernières années, de nombreuses boutiques ont ouvert, comme le magasin Herbéo à Bordeaux et l'Aromathèque à Lyon.

Faites-vous conseiller par des pros !

Face à toutes ces possibilités, quel est le meilleur professionnel qui pourra vous conseiller dans vos achats de potions magiques ? En fait, le diplôme d'herboriste officiel fut supprimé dans les années 1940 sous le régime de Vichy. Cependant, de plus en plus de pharmaciens s'intéressent et se forment à la phytothérapie. N'hésitez pas à leur demander si c'est le cas lors de vos achats.

Dans certaines boutiques bio, des naturopathes pourront vous conseiller. Orientez-vous aussi vers les personnes diplômées de l'un des six instituts de la Fédération française des écoles d'herboristerie : ces formations sont hyper complètes ! C'est souvent munis d'un diplôme d'herbaliste, délivré par l'École lyonnaise des plantes médicinales, que les nouveaux herboristes ouvrent ensuite une boutique spécialisée dans les remèdes végétaux. Vous pouvez leur faire confiance !

Et sur la Toile ?

Soyez prudente si vous préférez réaliser vos achats sur le Web, c'est une vraie jungle où le meilleur côtoie le pire. À côté de plantes de mauvaise qualité et venant de l'autre bout de la planète, sont vendues de petites perles, telles que les tisanes des « paysans-herboristes », des producteurs qui s'installent loin des villes et de la pollution pour cultiver et cueillir des plantes vraiment saines (on les reconnaît au logo Simples® apposé sur les emballages).

Vous êtes une green girl novice ? Préférez les grands sites connus, comme celui de l'Herboristerie du Palais-Royal (www.herboristerie.com) ou du Comptoir d'Herboristerie (www.comptoirdherboristerie.com), son fondateur, Jean Maison, est un véritable passionné. Petit à petit, vous pourrez vous aventurer sur des sites plus confidentiels dont les plantes issues de petites productions artisanales peuvent être très qualitatives.

La grande tendance des cosmétiques DIY

À quoi reconnaît-on une vraie green beautista ?

Son salon de beauté se trouve dans sa cuisine ! C'est aux fourneaux qu'elle fait fondre la cire d'abeille et mélange huiles végétales et autres eaux florales pour obtenir des cosmétiques simples, mais sains et bien adaptés à sa nature de peau ou de cheveux.

Pas question pour elle de tomber dans le piège des produits toxiques, qu'elle veut bannir pour sa survie et celle de la planète. On n'est jamais mieux servi que par soi-même ! De nombreuses marques bio et l'association Slow Cosmétique permettent de se procurer les précieux ingrédients qui donnent accès au graal de la cosmétique home made…

En manque d'inspiration ? Visitez les innombrables blogs, comme Friendly Beauty ou Mango and Salt, qui fournissent astuces, bons plans et tours de main.

Chapitre 2

Mes petites potions feel good

Vous pensez que la santé n'est pas seulement l'absence de maladie, mais aussi le bien-être ? Vous allez adorer la phytothérapie ! La plupart des petits bobos ont une réponse végétale. Et en pratiquant des cures – détox, vitaminée ou « adaptogène » –, vous faites de l'utilisation des plantes médicinales un véritable art de vivre. Profitez de ces petits trésors pour vous cocooner et être en forme toute l'année !

Il y a une différence de taille entre la phytothérapie et la médecine conventionnelle. Lorsqu'on prend une plante médicinale, on absorbe un ensemble d'actifs botaniques, tandis qu'avec un médicament, on avale généralement une seule molécule. **C'est la magie de la phyto** : les actifs végétaux s'équilibrent entre eux, et c'est ainsi que les effets indésirables sont rares. Il faut cependant connaître les grandes règles d'utilisation. Sans oublier les précautions d'emploi, car certains remèdes green se révèlent très puissants et peuvent être toxiques s'ils sont mal employés.

 **Les tisanes, comme rituel au quotidien, véhiculent à elles seules la simplicité** et le retour à la nature qui nous manquent tant ! Collectionnez aussi quelques huiles essentielles pour avoir toujours à la maison votre petite pharmacie aromatique. Grâce à la phyto-aromathérapie, vous allez gagner en autonomie face aux bobos du quotidien.

Vive la phytothérapie moderne !

1 001 remèdes végétaux

Pharmacies, Internet, magasins spécialisés : ces canaux de distribution regorgent de remèdes phyto, sous différentes présentations, de la plus tradi à la plus trendy, de la plus diluée à la plus concentrée, de la plus amère à la plus yummy ! Le premier pas pour vous soigner est de **choisir sous quelle forme vous allez prendre une plante.**

Des plantes brutes pour les tisanes

La plus simple est la tisane, qui consiste à plonger dans de l'eau chaude des feuilles, des fleurs ou d'autres organes végétaux sous leur forme brute. Pour cela, on utilise des plantes séchées vendues en vrac, ou bien des plantes fraîches (on trouve aisément de la menthe ou du thym frais, par exemple) ainsi que des infusettes, une forme bien pratique à condition d'opter pour une marque bio ! En France, on a facilement accès à 148 plantes médicinales sous leur forme brute car elles ont été autorisées à la vente en dehors des pharmacies en 2008 : de nombreux points de vente ont le droit de les commercialiser – supermarchés, magasins bio, petits producteurs sur les marchés ou sur Internet, etc. –, pas seulement les pharmaciens.

En gélules ou extraits pour mieux faire passer la pilule

Les mêmes plantes existent sous des formes prêtes à l'emploi. En gélules ou en comprimés, on trouve de la poudre de plante séchée ou bien des « extraits » végétaux – le remède est alors plus concentré.

Sous forme liquide, on trouve les traditionnelles teintures mères composées d'alcool (ce solvant permet d'extraire de nombreux actifs botaniques), mais aussi des formes plus récentes – et très efficaces – comme les EPS (extraits fluides de plantes standardisés) dans lesquels la concentration en molécules actives est garantie (vendus exclusivement en pharmacie).

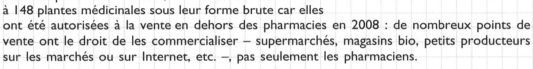

On trouve bien sûr les plantes sous forme de crèmes, de sirops ou encore d'huiles, comme la fameuse huile d'arnica…

Des molécules aromatiques pour un effet concentré

La phytothérapie moderne inclut l'aromathérapie, c'est-à-dire les huiles essentielles (HE) comme remèdes. Ces petites fioles très concentrées tiennent aujourd'hui une place très importante dans la santé par les plantes.

Les autres remèdes green

La gemmothérapie, pour soutenir votre énergie

Les bourgeons, qui contiennent toute l'information nécessaire au développement de la plante, ont de quoi fasciner ! La gemmothérapie, c'est l'art d'utiliser les bourgeons pour se soigner. Après macération dans un mélange d'eau, d'alcool et de glycérine, ces organes libèrent leurs actifs et surtout transmettent, de manière énergétique, les propriétés du végétal. Plusieurs

« macérats glycérinés » sont particulièrement intéressants : celui du noyer, le bourgeon qui améliore la flore intestinale, ou encore celui de framboisier, ami des femmes. Très faciles d'emploi puisqu'il suffit de verser quelques gouttes dans un verre d'eau !

Les Fleurs de Bach®, pour prendre soin de ses émotions

Un médecin visionnaire, le Dr Edward Bach, a étudié, au début du XXe siècle, les liens entre les émotions et l'apparition des maladies. Il a trouvé la solution dans les fleurs ! Ces dernières sont mises à macérer dans de l'eau pour que celle-ci s'imprègne de leur « énergie ». Dilués puis mélangés à du cognac pour une bonne conservation, ces « élixirs » floraux vont agir sur nos émotions : on prend pour cela quelques gouttes (2 en général) diluées dans un verre d'eau. L'élixir de mélèze (Larch) apporte par exemple de la confiance en soi et celui de centaurée (Centaury) aide à s'affirmer. #goodmood

Les hydrolats, pour prendre soin de sa peau

N'oublions pas l'hydrolathérapie, une médecine douce qui prend de l'ampleur depuis ces dernières années. Une plante, lorsqu'elle est distillée, ne libère pas seulement de l'HE. Elle procure aussi une eau chargée en principes actifs : c'est l'hydrolat. À l'instar de l'HE, il contient des molécules aromatiques mais de manière extrêmement diluée. Parfait pour les zones sensibles du corps, comme les muqueuses ! Mais aussi pour les personnes auxquelles on déconseille généralement les HE (femmes enceintes, jeunes enfants, etc.). Un bleu sur la paupière ? L'hydrolat d'hélichryse fait des merveilles, appliqué à l'aide d'une compresse. Les hydrolats sont de vrais trésors pour la beauté de la peau…

Un hydrolat est aussi appelé « eau florale » lorsque la partie de la plante distillée est la fleur.

Les 4 grandes règles de la phytothérapie

Même si l'on ne connaît aucun effet secondaire grave aux plantes médicinales usuelles, certaines précautions doivent être prises lorsqu'on les utilise pour se soigner.

Limitez la durée des traitements

Certaines plantes agissent rapidement, comme les feuilles de plantain qui apaisent les piqûres d'insectes lorsqu'on les applique sur la peau. Mais d'autres mettront plus de temps à faire effet. Dans tous les cas, un traitement ne doit pas se poursuivre de manière indéfinie : **si un remède végétal n'apporte aucune amélioration après quelques jours, il faut s'orienter vers une autre piste** (médecine générale, homéopathie, etc.).

Pour ce qui est des **cures de plantes, on les limite généralement à 3 semaines** consécutives pour ne pas saturer les récepteurs de l'organisme et éviter une baisse progressive de l'efficacité des plantes.

Plante en solo et synergies

Face à un petit bobo que vous n'avez encore jamais soigné par la phytothérapie, commencez par **employer une seule plante** pour voir comment votre corps réagit.
Ensuite, mélangez différentes plantes pour induire une synergie,
c'est-à-dire un effet plus important que celui d'une plante prise isolément.
On mélange souvent plusieurs espèces indiquées pour un même trouble (menthe poivrée, camomille et romarin pour la digestion). Votre pharmacien et votre herboriste agissent de même lorsqu'ils vous concoctent des synergies de plantes.

Attention aux interactions avec les médicaments !

Les effets indésirables proviennent surtout de surdosages ou d'interactions avec des médicaments conventionnels (notamment les anticoagulants, les antidiabétiques, les anti-hypertenseurs et les anticancéreux).

Le millepertuis, une fleur aux effets antidépresseurs prouvés, est bien connu pour interagir avec de nombreux médicaments, comme la pilule contraceptive dont il réduit l'efficacité.

Donc **attention si vous souffrez de maladies chroniques** : votre médecin ou le pharmacien vous indiquera si les remèdes végétaux sont compatibles avec votre traitement.

Choisissez des plantes safe

Méfiez-vous des remèdes d'origines lointaines vendus sur Internet. Abordez prudemment les formules amincissantes, car ce marché très lucratif peut pousser les laboratoires à oublier notre sécurité au profit du… profit. Il y a une dizaine d'années, un laboratoire se fournissant en Chine – moins cher ! – a confondu une plante aux vertus minceur avec une autre toxique pour les reins. Dans le domaine de la « phyto minceur », préférez donc les formules simples, made in France !

Les plantes peuvent être contaminées par des pesticides ou des métaux lourds : privilégiez donc les plantes bio garanties par les labels (ou mentions) AB®, Écocert®, Nature & Progrès®, Demeter® ou encore Simples®. Ce dernier mérite d'être connu car il garantit que les remèdes végétaux ont poussé en France, dans des zones à l'abri de la pollution (les régions montagneuses notamment) : des tisanes et autres produits « simples » mais hautement qualitatifs ! #CoupDeCœur

Petit quiz : La tisane, tout un art

La tisane est une des meilleures manières d'utiliser les plantes en automédication, car en plus de libérer les principes actifs de manière diluée, elle hydrate notre body ! Son mode d'emploi est très simple : on compte généralement 1 cuillerée à café (ou 1 pincée) de plantes sèches par tasse, et l'on double cette dose s'il s'agit de matière végétale fraîche. Voyons si vous en maîtrisez les subtilités…

❶ Comment s'appelle le procédé qui consiste à plonger des plantes dans de l'eau, puis porter le tout à ébullition pendant plusieurs minutes ?
A L'infusion.
B La décoction.
C La macération.

❷ Si on mélange plusieurs plantes dans une même tisane, c'est surtout pour…
A Associer leurs propriétés thérapeutiques.
B Améliorer le goût.
C Les deux.

❸ Les plantes sèches conservent leurs propriétés pendant…
A 1 an.
B 2 ans.
C Ça dépend.

Réponses :

❶ C'est la décoction, l'un des deux grands types de tisane. Elle est employée pour les parties de plantes plutôt coriaces : branches, racines, écorces, graines ou tiges dures comme la prêle. La plante est placée préalablement dans l'eau froide avant d'être chauffée, puis portée à ébullition pour une durée de 5 à 30 minutes afin d'extraire les principes actifs prisonniers des fibres. Le second grand type de tisane est l'infusion, adaptée aux parties végétales tendres : feuilles, fleurs et plantes entières herbacées. On verse de l'eau frémissante sur les plantes, on couvre, on laisse infuser entre 3 et 15 minutes, puis on filtre avant de boire.

❷ Les deux ! Certaines plantes permettent d'améliorer le goût d'une autre plante médicinale amère ou peu aromatique. Mais un mélange est aussi intéressant du point de vue thérapeutique : l'idée est de compléter

les propriétés et de potentialiser les effets que certaines plantes ont en commun, tout en diminuant l'accoutumance à l'une d'elles et l'impact des effets secondaires éventuels puisque chacune est utilisée à moindre dose.

③ **Il est préférable de ne pas garder de plantes sèches au-delà de 2 ans**, un peu moins dans le cas des feuilles et des fleurs, un peu plus dans celui des graines, racines ou écorces. À l'achat, vérifiez si elles sont encore aromatiques et colorées, même si les parfums et les teintes sont presque toujours différents des plantes fraîches. Afin de préserver ces couleurs et ces arômes, stockez-les à l'abri de l'humidité et de la lumière.

Les huiles essentielles, de petites bombes végétales

L'aromathérapie, du latin *aroma* qui veut dire « arôme », est l'art de se soigner avec les HE. Les HE sont obtenues par un procédé, la distillation, qui conduit à une extrême concentration des molécules aromatiques. On distille parfois plusieurs tonnes de plantes (2 tonnes pour l'hélichryse) afin d'obtenir 1 petit litre d'HE.

Be safe !

Pour éviter tout accident ou utilisation incorrecte, il faut conserver ces petites bombes, comme les médicaments, hors de portée des enfants ou des copines pas green.

N'appliquez pas d'HE pure sur les muqueuses (œil, bouche, tympan, vagin, anus) ; si cela arrive, enduisez la zone d'huile végétale (l'huile d'olive peut faire l'affaire).

En cas de doute, n'ingérez pas une HE, ne l'appliquez pas pure et évitez de vous exposer au soleil pendant les 4 heures qui suivent l'application.

La plupart des HE sont à éviter chez la femme enceinte, pendant l'allaitement et chez le nourrisson. Pour les enfants, demandez conseil à un praticien expérimenté.

On scrute les noms latins

L'étiquette est votre alliée pour choisir des HE de qualité. Le nom latin de la plante doit être indiqué sur l'étiquette (le « genre » commençant par une lettre majuscule et l'« espèce » inscrite tout en minuscule) : la lavande fine, par exemple, répond au doux nom de *Lavandula angustifolia*.

Mais on distingue souvent plusieurs espèces au sein d'un même genre. Il existe notamment plusieurs types de thym, à ne pas confondre, puisque l'HE de *Thymus vulgaris* est anti-infectieuse tandis que celle nommée *Thymus satureioides* agit sur les douleurs articulaires.

En plus du nom latin, l'organe végétal distillé doit être indiqué sur l'étiquette, car une même espèce peut procurer des HE aux propriétés différentes : l'oranger amer ou bigaradier (*Citrus aurantium* var. *amara*) donne trois HE distinctes selon qu'on utilise ses fleurs (HE de néroli, indiquée contre la dépression) ou ses feuilles (HE de petit grain bigarade, relaxante), ou encore son zeste (HE d'orange amère, utilisée en agroalimentaire pour aromatiser la bière).

L'étiquette doit faire figurer le « chémotype », une notion importante en aroma, puisqu'elle désigne les constituants principaux de l'HE. Pour reprendre le cas du thym, on distingue au moins 7 chémotypes de *Thymus vulgaris*, selon qu'il contient principalement du thymol (antibactérien), du linalol (antispasmodique), etc.

Aroma, mode d'emploi

Par voie cutanée, je dilue. Pour une action ciblée curative sur le visage ou le corps : diluez 1 goutte dans 20 gouttes d'huile végétale (HV).

En diffusion, je fais des pauses. Pour éviter les irritations pulmonaires, diffusez 15 minutes seulement par heure en présence d'adultes.

Par voie orale, je demande un avis. Un pharmacien ou un thérapeute spécialisé vous conseillera (en général, on ne dépasse pas 3 semaines de traitement).

En inhalation, je sors les mouchoirs. Sur un support (un mouchoir, par exemple) ou dans un bol d'eau chaude, versez 5 gouttes d'une HE ou d'un mélange aromatique à raison d'1 à 3 soins par jour.

Best of des huiles essentielles anti-bobos

Ces 5 HE sont à la fois safe, polyvalentes et tout simplement magiques !

Nom / partie distillée	Propriétés et astuces
Arbre à thé (tea tree) (*Melaleuca alternifolia*) / feuilles	**Désinfectant** : puissant antiseptique et antimycosique, non irritant pour la peau et les muqueuses. Vous pouvez l'utiliser sans risque pour traiter toute infection, quel que soit l'endroit atteint. → **Plaies, boutons d'acné** : 1 goutte pure ou diluée à 50 % dans une HV en massage à renouveler 3 à 4 fois par jour. → **Aphtes, désinfection buccale** : 1 goutte sur le dentifrice ou dans un bain de bouche 1 à 3 fois par jour.
Eucalyptus citronné (*Corymbia* ou *Eucalyptus citriodora*) / feuilles	**Antidouleur** : anti-inflammatoire et antidouleur exceptionnel, cette huile s'utilise en massage diluée dans une HV. C'est aussi un répulsif anti-moustiques de référence. → **Douleurs musculaires** : 1 à 2 gouttes additionnées de 10 gouttes d'HV de calophylle inophyle.
Eucalyptus radié (*Eucalyptus radiata*) / feuilles	**Respiration** : désinfectant des voies respiratoires et de l'atmosphère. → **Infections ORL bactériennes ou virales, refroidissements, sinusites, rhumes, fièvre, grippe** : en massage seul ou en association avec l'HE de ravintsara (*Cinnamomum camphora CT cinéole*) sur le sternum, autour de l'oreille (en cas d'otite), en diffusion ou en inhalation sur un mouchoir.

Nom / partie distillée	Propriétés et astuces
Citron (*Citrus limon*) / zeste	**Digestion** : agit en prévention des troubles digestifs et des infections en nettoyant l'organisme. → **Digestion difficile** : I goutte dans I c. à c. d'HV avant les repas I à 2 fois par jour. → **Nausées, mal des transports** : I goutte pure sur un support (mie de pain, I c. à c. de miel).
Lavande fine (*Lavandula angustifolia* ou *vera*) / sommités fleuries (origine : France)	**Must have** : si vous ne deviez en retenir qu'une, la voici ! Elle soigne tous vos maux du quotidien, sans aucune contre-indication : des cicatrices aux brûlures, de l'anxiété aux troubles du sommeil. Elle possède aussi des vertus antiallergiques et est un excellent décontracturant musculaire. → **Cicatrices, brûlures** : déposez le plus rapidement possible quelques gouttes pures ou à mélanger avec de l'HV de calophylle inophyle (50/50), en application locale 3 à 4 fois par jour. → **Stress, insomnies** : appliquez 2 gouttes sur un mouchoir ou votre oreiller et respirez pour vous détendre ou bien dormir. → **Piqûres d'insectes** : déposez I goutte pure sur la zone touchée pour calmer les démangeaisons. → **Douleurs musculaires ou abdominales** : diluez l'HE dans une huile végétale (25/75) et massez le ventre ou les muscles douloureux.

Je me soigne au naturel

Stop au rhume

Nez bouché, éternuements, yeux rougis… pas très glamour, le rhume ! Mais pour une green girl, c'est l'occasion de déguster de bonnes tisanes au miel et d'embaumer son intérieur d'huiles essentielles ! Côté phyto, place aux épices, de redoutables armes contre les virus et la fièvre. Côté aroma, hello aux essences issues des grands arbres, qui purifient tout autant l'air ambiant que nos voies respiratoires.

3 fois par jour : je prépare ma tisane épicée

La tisane est LE remède de base en cas de rhume et d'état grippal. Tout d'abord, **ce breuvage magique hydrate** : or c'est essentiel pour aider les voies respiratoires à fabriquer le mucus, une substance pas très sexy mais qui a pour rôle d'évacuer les microbes. Sortez vos mouchoirs !

Côté plantes, la cannelle, les clous de girofle et le thym apportent de puissants actifs botaniques

Ma tisane épicée

Ingrédients
- 1 bâton de cannelle
- 3 clous de girofle
- 1 pincée de thym
- ½ citron bio

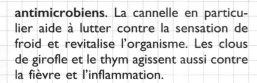

Préparation
1. Placez les ingrédients dans l'équivalent d'1½ tasse d'eau et faites bouillir 10 min.
2. Écrasez à la fourchette le citron.
3. Filtrez, ajoutez 1 c. à c. de miel et buvez le plus chaud possible, 3 fois par jour, dès que vous sentez les premiers symptômes d'un refroidissement.

antimicrobiens. La cannelle en particulier aide à lutter contre la sensation de froid et revitalise l'organisme. Les clous de girofle et le thym agissent aussi contre la fièvre et l'inflammation.

Astuce : Si vous n'êtes pas chez vous, faites halte dans le premier café sur votre chemin et demandez un simple jus de citron dans de l'eau chaude avec de la cannelle en poudre.

Au moins 1 fois par jour : mon inhalation breathe well

Quand la tisane ne suffit pas à fluidifier le mucus qui va aider votre body à évacuer les microbes, songez à vous tourner vers l'aromathérapie ! Plusieurs HE sont capables de décongestionner les voies respiratoires lorsque le nez est complètement bouché. **Niaouli** (*Melaleuca viridiflora*), **eucalyptus radié** (*Eucalyptus radiata*), **laurier noble** (*Laurus nobilis*) : **ces 3 essences sont dotées de puissantes propriétés expectorantes, antibactériennes et antivirales.**

Inhalation breathe well

Ingrédients
- HE de niaouli : 2 gouttes
- HE de laurier noble : 2 gouttes
- HE d'eucalyptus radié : 2 gouttes

Préparation
Versez les gouttes dans un bol d'eau frémissante, couvrez-vous la tête avec une serviette et respirez les vapeurs pendant 5 à 10 min, si possible 3 fois par jour.
Gare aux courants d'air, une fois les voies respiratoires nettoyées… restez au chaud !

Bon à savoir : Il est important d'humidifier l'air de votre habitation de façon à ce que les muqueuses ne s'assèchent pas. Pour cela, faites sécher votre linge dans les pièces à vivre ou placez une casserole d'eau chaude près d'un radiateur.

Les trucs qui sauvent…

L'érysimum contre les enrouements : cette plante est bien connue dans les professions où la voix est importante (enseignants, politiciens ou chanteurs). On la prend en tisane en faisant infuser 1 c. à s. de plante dans ¼ de litre d'eau chaude pendant 10 min. Pratique, on en trouve dans des pastilles de la marque Euphon®.

La propolis, en teinture mère, permet de soigner les surinfections de la gorge ou de les éviter lorsqu'on est déjà un peu enrhumé. Cette substance, fabriquée par les abeilles à partir de résines récoltées sur les bourgeons, permet d'isoler et d'aseptiser la ruche. C'est pour nous aussi un puissant désinfectant ! On dépose 15 gouttes dans 1 c. à s. de miel, et on l'avale après avoir gardé quelques secondes en bouche. Ça pique un peu, mais c'est radical. 3 fois par jour en curatif et 1 fois par jour en préventif.

L'eau de mer, en spray : un must pour décongestionner le nez naturellement et tout en douceur. Un *pschitt* dans chaque narine, un mouchage efficace, et ça repart ! En curatif, utilisez l'eau de mer au moins 3 fois par jour. En préventif, réalisez ce geste 1 fois par jour, afin d'hydrater les muqueuses souvent desséchées par le chauffage en hiver.

L'échinacée, une belle fleur rose indiquée en cas de rhume, grippe, bronchite et plus généralement de baisse générale des défenses naturelles. Ses nombreux principes actifs agissent en synergie pour stimuler l'organisme à produire plus de cellules immunitaires, les fameux globules blancs. À prendre en cure de 3 semaines, avant la saison froide et en cas d'infection, en gélules ou en extrait liquide (suivre la posologie indiquée).

> **Témoignage : Séverine, paysanne-herboriste à Naturellement Simples (www.naturellementsimples.com)**
>
> « Ma tisane salutaire ? Un mélange de thym, d'origan, de sarriette, d'hysope couchée et de monarde fistuleuse : je l'ai confectionnée spécialement, la "Tisane Atchoum" (à retrouver sur mon site). Dès qu'on a pris froid, que le nez coule, que la gorge gratte ou qu'on tousse un peu, hop, une tasse de ce mélange, sucré au miel. Et quand je sens que je vais vraiment tomber malade, j'ajoute quelques gouttes de teinture mère de propolis à ma potion… »

Mes réflexes digestion

Pas toujours simple de sortir légère d'un repas plus ou moins copieux : lourdeur, coup de barre, douleurs… Ne laissez pas votre digestion pomper toute votre énergie et pour cela, accompagnez-la. La plupart des petits maux de ventre trouvent leur solution dans les plantes, sous différentes formes.

Problème : brûlure d'estomac

Solution : la tisane de camomille romaine (*Anthemis nobilis* ou de son nom ancien *Chamaemelum nobile*), qui calme les inflammations et l'acidité gastrique. Plongez 1 dizaine de fleurs de camomille dans 1 tasse d'eau bouillante et laissez infuser 15 min à couvert. Consommez de préférence entre les repas.

Bonus : l'HE de camomille romaine (*Anthemis nobile*) : 1 goutte à déposer sur une boulette de pain et à avaler au moment des douleurs, ou bien en fin de repas. Vous pouvez aussi la masser pure sur le haut de l'estomac, jusqu'à 4 fois par jour pendant 2 jours. Attention, une brûlure d'estomac qui persiste plus de 2 jours nécessite une consultation médicale.

Problème : ballonnements

Solution : **l'HE de menthe poivrée** (*Mentha piperita*), qui réduit les spasmes intestinaux.

1 goutte sur une boulette de pain ou un support par voie orale ou 2 gouttes diluées dans un peu d'HV en massage sur le ventre jusqu'à 3 fois par jour.

Bonus : comme en Inde, berceau de la médecine ayurvédique, **mastiquez des graines de fenouil, de cumin ou de cardamome après les repas**. Cette habitude permet de réduire la production de gaz intestinaux et de garder un ventre plat !

Problème : crise de foie

Solution : **un massage aromatique**, qui soutient l'activité du foie. Dans un flacon de 15 ml, versez 90 gouttes d'HE de citron (*Citrus limon*), 30 gouttes d'HE de menthe poivrée (*Mentha piperita*), 60 gouttes de laurier noble (*Laurus nobilis*) et complétez jusqu'en haut avec de l'HV d'argan.

Massez vos poignets avec 4 gouttes de ce mélange dès que votre foie commence à vous jouer des tours ! Vous pouvez utiliser cette formule jusqu'à 4 fois par jour.

Bonus : le **desmodium** (*Desmodium adscendens*) est une plante africaine que l'on conseille en parallèle de traitements médicaux toxiques pour le foie. On la trouve en complément alimentaire (les posologies varient en fonction des laboratoires).

Le petit +
En gemmothérapie, le macérat glycériné de bourgeon de noyer (*Juglans regia*) est indiqué après une période de soucis digestifs (constipation, diarrhée, etc.) car il restaure la flore intestinale. Prenez 10 gouttes par jour, diluées dans un peu d'eau, en cure de 3 semaines à renouveler si nécessaire.

Mes traitements naturels antidouleurs

Une green girl ne se contente pas d'avaler une pilule quand elle a mal : elle a plus d'une HE dans son sac pour faire face aux différents types de douleurs qui peuvent l'accabler ! Mal de dos, maux de tête ou encore rage de dents… comme vous allez le voir, le domaine de la douleur, où l'on a besoin d'actions localisées, est un super terrain d'expérimentation pour l'aromathérapie.

Problème : j'ai mal à la tête

Solution : **un roll-on DIY, aux HE antalgiques.**

Dans un roll-on de 10 ml, versez 60 gouttes de **gaulthérie couchée ou odorante** (*Gaultheria procumbens* ou *fragrantissima*), 30 gouttes d'HE de **camomille romaine** (*Anthemis nobilis*) et 30 gouttes d'HE de **menthe poivrée** (*Mentha piperita*). Complétez avec de l'HV de noyau d'abricot. Appliquez ce mélange sur vos tempes et votre nuque en cas de mal de tête. Renouvelez l'application jusqu'à 3 fois dans la journée.

Bonus : **la reine-des-prés** s'emploie contre les céphalées, mais aussi les maux de dents ou encore les règles douloureuses. Elle est surnommée « aspirine végétale » car elle contient de l'acide salicylique, un composant précurseur de l'acide acétylsalicylique qui n'est autre que la substance active de l'aspirine. On la prend en tisane (voir le « Best of des tisanes simples », p. 27) ou en extrait liquide (EPS, par exemple, qu'on trouve en pharmacie).

> **Attention** : nous n'avons pas la prétention ici de soigner les très fortes migraines. De plus, même si l'HE de menthe poivrée est miraculeuse, sa forte teneur en menthol peut provoquer des irritations oculaires. Ne l'utilisez pas dans ce mélange si vos yeux sont sensibles. Elle est aussi déconseillée si vous êtes hypertendue ou asthmatique en crise. Quant à la gaulthérie et à la reine-des-prés, elles sont contre-indiquées si l'on est allergique à l'aspirine, mais aussi si l'on est sous anticoagulants ou hémophile.

Problème : j'ai mal au dos

Solution : l'infusion de valériane (*Valeriana officinalis*), qui décontracte les muscles.

Laissez infuser 1 c. à c. de racines de valériane dans 1 tasse d'eau chaude pendant 10 min. Vous pouvez ajouter un peu de verveine pour masquer le goût amer et l'odeur désagréable de la valériane. Buvez cette préparation 2 fois par jour, dans la journée et au coucher. Vous pouvez aussi la consommer sous forme de gélules : son goût et son odeur ne sont alors plus désagréables !

Consultez aussi un chiropracteur ! Cet expert des dysfonctionnements vertébraux est spécialiste de toutes les douleurs de dos.

Bonus : **massez la zone douloureuse avec du macérat huileux de millepertuis** (très anti-inflammatoire en raison de sa teneur en hypéricine) : 100 ml auxquels vous aurez ajouté des HE de **lavande fine** (*Lavandula angustifolia*) : 20 gouttes et d'**eucalyptus citronné** (*Eucalytpus citriodora*) : 10 gouttes.

Problème : j'ai mal aux dents

Solution : l'HE de clou de girofle (*Eugenia caryophyllus*), riche en eugénol, une molécule anti-inflammatoire.

Mettez 1 goutte sur un Coton-Tige imbibé préalablement d'HV (pour que l'HE de girofle n'irrite pas les gencives les plus sensibles) et badigeonnez-en l'endroit douloureux toutes les heures, si nécessaire, ou dès que la douleur revient, sans dépasser 5 applications par jour et un maximum de 5 jours de traitement. L'HE de clou de girofle n'est pas pour vous si vous êtes sous anticoagulants ou hémophile.

Bonus : mâcher un morceau de cannelle immédiatement après le repas prévient les caries et les douleurs qui vont avec ! Au passage, ce remède vous préserve de la mauvaise haleine due aux résidus de nourriture et soulage en douceur la gorge enrouée. What else ?

MES PETITES POTIONS FEEL GOOD

Mes secrets pour un cycle féminin serein

Une green girl, à l'écoute de sa propre nature, se doit de connaître les 4 phases de son cycle et leur influence sur son comportement :

Phase Énergie : juste après les règles, les hormones œstrogéniques et l'énergie remontent. C'est ainsi qu'on arrive à faire mille choses en même temps ! The good time pour sortir de sa zone de confort et se lancer dans de nouveaux projets.

Phase Sunshine : l'ovulation se produit au milieu du cycle (en général au 14e jour après le 1er jour des règles). Or, quelques jours avant, nous sommes rayonnantes et sensuelles : le bon moment pour faire des rencontres ou créer des partenariats.

Phase Créative : après l'ovulation, les idées nous submergent. On a aussi tendance à voir les choses sous un angle critique, voire négatif… L'exercice physique, une alimentation saine (évitez les boissons excitantes comme le café) sont la clé pour adoucir cette phase.

Phase Cocooning : les règles arrivent car les hormones ont chuté. Repos et exercices doux comme le yoga sont de mise. Posons sur les règles un nouveau regard : l'ayurveda, la médecine traditionnelle indienne, voit en elles un bon moyen pour l'organisme d'éliminer ses déchets et de repartir à neuf pour un nouveau cycle.

Si vous souffrez du fameux syndrome prémenstruel (fatigue, seins sensibles, gonflement du bas-ventre, maux de tête, irritabilité… de 2 à 7 jours avant les règles), pensez à l'huile d'onagre (en capsules) : elle contient de l'acide gamma-linolénique précurseur d'hormones impliquées dans le cycle menstruel. Or il s'avère que l'organisme en manque lorsqu'on souffre de syndrome prémenstruel. Les capsules contiennent en général 500 mg d'huile d'onagre : prenez-en 2, 2 à 4 fois par jour.

Contre les règles douloureuses, le bourgeon de framboisier peut être employé en préventif. Prenez 30 gouttes de macérat glycériné par jour, diluées dans 1 verre d'eau, du 5e jour du cycle jusqu'au 1er jour des règles. Renouvelez la cure 1 fois si nécessaire. Pendant les douleurs, on peut se tourner vers la camomille, allemande ou romaine, à prendre en tisane ou en teinture mère (10 gouttes, 2 fois par jour au moment des règles).

> En cas de soucis plus importants (douleurs, saignements abondants, etc.), tournez-vous vers l'« endobiogénie » : cette approche globale de la santé s'axe autour du système hormonal et s'appuie sur la phytothérapie. Demandez les coordonnées d'un médecin près de chez vous en contactant l'association Phyto 2000 (www.phyto2000.org).

Best of des tisanes simples

Quelles tisanes devez-vous toujours avoir dans votre placard ?
Réponses ici avec 5 plantes faciles d'emploi, qui permettent de
parer aux maux les plus courants. On peut les mélanger pour renforcer leurs effets, ou bien ajouter d'autres plantes pour en améliorer le
goût. Elles s'emploient toutes en infusion : plongez 1 à 2 c. à c. de
plante en solo ou en mélange dans 1 tasse d'eau chaude, attendez
environ 5 min et buvez. Vous pouvez aussi préparer un Thermos
(on en trouve de très chics, à la fois girly et eco-friendly) qui
vous suivra au bureau ou en promenade.

Nom commun	Propriétés et astuces
Thym	**Anti-tout** : antibactérienne, antivirale, antispasmodique, etc., cette plante s'emploie contre les infections ORL (rhume, toux, grippe, bronchite…) et intestinales. → **Adoptez l'infusion de thym comme boisson chaude le matin en période hivernale en prévention des épidémies. Sucrez avec du miel de thym qui est, lui aussi, antimicrobien.**
Mauve	**Adoucissante** : cette fleur est riche en mucilages, des substances qui se transforment en gel au contact de l'eau et recouvrent les muqueuses d'une sorte de film, les protégeant contre l'inflammation. Idéale contre les toux d'irritation, mais aussi la constipation passagère ! → **Associez la mauve et le thym car la première adoucit la gorge tandis que la seconde vous débarrasse des microbes. De plus, la mauve donne une belle couleur bleue à la tisane ! Refroidie, elle s'utilise en gargarisme contre les aphtes.**
Menthe poivrée	**Bonne digestion** : la menthe poivrée stimule l'activité du foie et la sécrétion de la bile, ce qui aide à la digestion des graisses. Elle calme les nausées et les spasmes. → **À la fin du repas, buvez une infusion de menthe fraîche à la place du café. En plus d'aider à la digestion, elle est très tonique !**
Mélisse	**Rééquilibrante** : cette feuille agit contre le stress, à l'origine de troubles digestifs, du rythme cardiaque et de migraines. On la prend à toute heure de la journée car elle calme sans fatiguer. → **Associez la mélisse à la verveine pour en améliorer le goût.**
Reine-des-prés	**Aspirine végétale** : la reine-des-prés contient une molécule proche de la substance active de l'aspirine. On doit d'ailleurs à cette plante la découverte de ce médicament antidouleurs ! On prend la reine-des-prés contre la fièvre, les douleurs musculaires ou dentaires, les tendinites ou encore les maux de tête. → **Pour l'infusion, veillez à utiliser une eau chaude mais pas bouillante, autour de 60 °C, afin de ne pas détruire ses fragiles principes actifs.**

Attention, ne l'utilisez pas si vous êtes allergique à l'aspirine, sous anticoagulants ou hémophile.

MES PETITES POTIONS FEEL GOOD

27

Mes cures des 4 saisons

Mes ateliers santé, toute l'année !

Les grandes médecines naturelles – ayurveda, médecine traditionnelle chinoise (MTC) et naturopathie – vous invitent à réaliser des « cures » pour entretenir votre santé. Mieux vaut prévenir que guérir ! Ces cures végétales permettent d'anticiper les grands changements, notamment l'arrivée d'une nouvelle saison qui soumet notre organisme à des variations de lumière, de température, de rythme, etc. Par le biais de l'alimentation et avec l'aide de plantes médicinales et des HE, vous allez soutenir l'activité de certains organes, comme le foie au printemps ou les bronches en hiver.

Au printemps, je me mets au « bouleau » pour me régénérer

Le printemps, « la » grande saison pour réaliser une cure de santé !

Marqué par le réveil de la nature, le printemps produit en nous un renouveau énergétique, avec l'envie de bouger, de lancer de nouveaux projets... Or, en hiver, une alimentation plus riche et un ralentissement de l'activité physique génèrent un encrassement progressif de l'organisme. Alors, pour que les toxines accumulées n'entraînent pas eczéma et allergies diverses avec le retour des beaux jours, place à la détox ! Celle-ci a pour but de soutenir le foie, qui a la double fonction de détoxifier le sang et de mettre ce dernier à disposition du reste du corps.

Pour faire ce grand ménage intérieur, optez pour la fameuse sève de bouleau : c'est la cure de printemps de prédilection. Cette eau qui vient des racines de l'arbre est très riche en divers éléments destinés à faire éclore les bourgeons. On y trouve quantité de sels minéraux et d'oligoéléments (calcium, magnésium, zinc, fer, etc.) et différents antioxydants (des flavonoïdes). La sève de bouleau est non seulement reminéralisante, mais elle est aussi diurétique et dépurative, améliorant les problèmes cutanés puisqu'ils sont souvent liés à la saturation en toxines des organes excréteurs (foie, poumons, reins).

Cure de sève de bouleau, mode d'emploi : dès la fin février, réservez votre sève de bouleau fraîche auprès d'un producteur (à chercher sur le Web, comme www.lasevecathare.com www.seve-bouleau-limousin.com) ou auprès de votre magasin bio. Une cure de 5 litres, sur 21 jours, suffit, soit 25 cl (1 grand verre) à prendre tous les matins à jeun. L'action douce de la sève de bouleau s'accompagne, dit-on, d'une sensation de bien-être...

> **Encore plus green** : plusieurs fois par semaine, faites des repas 100 % green à base de légumes printaniers, comme les asperges, les artichauts, les petits pois ou les fèves. Et laissez ainsi les kilos de l'hiver derrière vous !

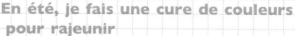

En été, je fais une cure de couleurs pour rajeunir

L'été est la saison la plus propice aux échanges : rencontres, voyages, découvertes… Profitez aussi de l'abondance en fruits et légumes colorés qui mûrissent à cette saison : la palette des fruits et légumes violets, rouges, orange et jaunes regorge de **vitamines et d'antioxydants. Ces substances protègent vos cellules des agressions** : infections, pollution, stress, tabac, soleil à haute dose… Sans leur aide, votre organisme serait submergé par les fameux radicaux libres qui entraînent le vieillissement cellulaire.

Fruits et légumes d'été : différentes couleurs pour un max d'effets !

Pigments violets = le plein d'anthocyanes et de resvératrol, bénéfiques au niveau cardio-vasculaire, hépatique (foie) et cérébral (mémoire). On en trouve dans les fruits et légumes suivants : cassis, myrtille, figue, prune, mûre, cerise, raisin noir, aubergine…

Pigments rouges = un max de lycopène, anthocyanes et vitamines A et C. Le lycopène facilite l'action des autres antioxydants, améliore la digestion et diminue la sensibilité de la peau aux UV. Pour en trouver : fraise, framboise, cerise, pastèque, tomate, piment, poivron, raisin… La cuisson augmente la biodisponibilité du lycopène, alors improvisez de délicieuses ratatouilles !

Pigments jaunes et orange = couleur du bêta-carotène, un antioxydant majeur, pouvant être transformé en vitamine A par l'organisme. Ce pigment liposoluble est intéressant pour nous protéger des UV et dans la prévention cardio-vasculaire ainsi qu'immunitaire. Sources alimentaires : abricot, pêche, mirabelle, melon, poivron…

En automne, je garde la forme avec des monodiètes et des HE

Tandis que la nature opère un lent repli, vous revenez aussi à une certaine routine. #CestLaRentrée… N'oubliez pas pour autant de prendre des bains de nature ! Il est important de garder ce lien qui nous aide à lutter contre les états mélancoliques caractéristiques de l'automne. Partez vous balader à pied ou à vélo pour améliorer les défenses de votre organisme. Respirez à pleins poumons pour vous détendre…

Si, malgré tout, la fatigue prend le dessus, réalisez une cure dépurative, l'automne étant, comme le printemps, une période idéale pour la détox. À cette saison, celle-ci se fait sous la forme de **monodiète.** Traditionnellement, on pratique la

cure de raisins (bio !), qui consiste à ne manger que ce fruit, à volonté, pendant 3 à 5 jours. Cette diète permet de mettre au repos le corps et d'utiliser l'énergie digestive et nerveuse pour soutenir les organes de nettoyage du corps : l'organisme peut alors se consacrer à l'élimination et à la régénération. Si vous n'êtes pas fan de raisin, optez pour la pomme, que l'on mange entière ou en compote.

N'hésitez pas à vous faire accompagner par un naturopathe, car les monodiètes ont des contre-indications (maigreur, phobies alimentaires, diabète…).

Il faut préparer son organisme avant une monodiète en éliminant les produits animaux 3 jours avant, les céréales 2 jours avant et en ne mangeant que des fruits et légumes la veille.

La reprise alimentaire suit le même schéma, mais à l'inverse.
Plus facile, mais également bénéfique : faites des dîners composés d'un aliment unique le soir, une fois par semaine – riz ou carottes plutôt que frites ou saucisson ! L'enjeu, en automne, est de garder les bénéfices de l'été pour aborder l'hiver en forme.
L'aromathérapie peut aussi vous aider avec le soin aromatique suivant, appliqué en massage régulier.

Formule aroma spécial immunity-boost
Dans un flacon de 50 ml, mélangez 5 ml (soit 125 gouttes) des HE suivantes : ravintsara (*Cinnamomum camphora CT cinéole*) + citron (*Citrus limonum*) + thym satuéoïde (*Thymus satureoides*) + laurier noble (*Laurus nobilis*). Ajoutez 30 ml d'HV, de noyau d'abricot par exemple. Appliquez 4 gouttes de ce mélange sur le thorax et sur les cervicales et/ou les surrénales, et/ou les poignets, tous les jours pendant 2 semaines par mois, tout l'automne jusqu'au début de l'hiver.

En hiver, je carbure aux vitamines et aux plantes adaptogènes

En période froide, la nature semble être à l'arrêt : les végétaux doivent à tout prix se protéger du gel ! **La médecine traditionnelle chinoise nous invite aussi à protéger nos reins et nos pieds du froid.**
Mais cette apparente pause est trompeuse… Les arbres, par exemple, maintiennent tous les mécanismes biologiques nécessaires à leur survie : respiration cellulaire, pousse des racines, et même, chez ceux qui gardent leurs feuilles (sapins, pins, chênes verts), photosynthèse.

À l'image de la nature, nous sommes poussés en cette saison à économiser nos forces, non pas en ne faisant rien, mais en privilégiant les activités douces, comme la lecture, et en évitant si possible de se laisser embarquer dans un rythme de travail excessif contraire aux rythmes naturels. Cette saison de la raclette ne doit pas vous faire oublier de conserver une alimentation green (en dehors des fêtes de fin d'année, car les moments festifs et les *guilty pleasures* sont importants pour le mental !).

Pensez à épicer vos plats : curcuma, cannelle ou encore cumin sont des épices très réchauffantes et qui n'ont pas attendu l'invention du terme « superaliment » pour être de vraies bombes antioxydantes !

Le plein de vitamines : faites des cures de vitamine C naturelle en prenant de la poudre de cynorhodon (1 c. à c. par jour diluée dans un verre d'eau) ou bien du jus d'argousier (3 c. à s. de jus pur ou dilué dans un peu d'eau). Prenez ces boosteurs le matin, pendant 3 semaines, à renouveler plusieurs fois pendant l'hiver.

Une cure de plantes adaptogènes ! Consommez des plantes qui augmentent la capacité de l'organisme à s'adapter aux différents stress : le ginseng, l'éleuthérocoque ou encore la rhodiola. Toutes sont disponibles en compléments alimentaires (les posologies sont indiquées par les laboratoires fabricants). À prendre en cure de 3 semaines dès la fin novembre.

> **Zoom sur une plante : le ginseng**
> La racine de ginseng a de quoi fasciner : son nom latin *Panax ginseng* veut dire « panacée », car elle est considérée comme un remède majeur en médecine chinoise. C'est un tonifiant puissant, elle stimule le système immunitaire et lutte contre la fatigue physique et intellectuelle. Une plante « adaptogène » comme on dit aujourd'hui. Depuis quelques années seulement, la plante est cultivée dans le Sud-Ouest de l'Hexagone : on la trouve sous la marque France Ginseng.

La formule préventive anti-grippe : cette formule est une synergie puissante de molécules reconnues scientifiquement comme étant parmi les plus antivirales au monde actuellement.
Dans un flacon de 20 ml, versez 5 ml (soit 125 gouttes) des HE suivantes : niaouli (*Melaleuca viridiflora*) + eucalyptus radié (*Eucalyptus radiata*) + citron (*Citrus limonum*) + ravintsara (*Cinnamomum camphora CT cinéole*). Agitez bien le mélange avant emploi.

En prévention : cette préparation peut être employée **en massage local** : sur le thorax et le haut du dos, avec 20 gouttes du mélange diluées dans 2 ml d'HV d'argan ou de noyau d'abricot.

En curatif : utilisez la même préparation en diffusion (10 gouttes dans un diffuseur) ET en massage corporel (20 gouttes diluées dans 2 ml d'HV d'argan ou de noyau d'abricot) sur les nœuds ganglionnaires (cou, aisselles…) ET par voie orale (4 gouttes dans 1 c. à c. de miel ou d'huile d'olive) 4 fois par jour, pendant 4 à 5 jours consécutifs.

Ma trousse de secours au naturel

Toujours prête pour servir à la maison ou être emportée en week-end ou en vacances, la trousse à pharmacie de secours d'une green girl fait la part belle aux remèdes naturels. Efficaces et polyvalentes, les plantes se révèlent de précieuses alliées contre les coups, les brûlures ou encore les piqûres d'insectes.

7 produits naturels pour les situations d'urgence

1 **Un flacon d'HE de lavande fine** (*Lavandula angustifolia*) pour désinfecter les plaies, cicatriser les brûlures, égratignures et soulager les piqûres d'insectes.

2 **Un flacon d'HE d'hélichryse de Corse** (*Helichrysum italicum*) à appliquer pure sur les coups et les chutes (cela évite l'apparition de gros hématomes !) et pour cicatriser, seule ou avec 1 goutte de lavande fine.

3 **Du gel d'aloe vera** contre les coups de soleil et les brûlures, mais aussi les irritations, la peau sèche, etc.

4 **Un spray anti-moustiques aux huiles essentielles.**

5 **Du charbon actif** utile en cas d'intoxication ou de diarrhée (2 capsules du fameux Charbon de Belloc®, 2 à 3 fois par jour).

6 **Un flacon d'hydrolat de camomille** pour apaiser les allergies cutanées ou oculaires et les démangeaisons.

7 Spécial voyage : l'**HE de laurier noble** (*Laurus nobilis*) pour traiter la tourista (1 goutte déposée sur une boulette de pain ou un support par voie orale jusqu'à 4 fois par jour, pendant 5 jours).

> Pour que votre trousse soit vraiment complète, n'oubliez pas **le matériel médical de base** (thermomètre, pansements, bandes élastiques de contention, bandelettes adhésives de suture type Steri-Strip®, ciseaux, pince à épiler et tire-tique), ainsi qu'un antihistaminique en cas d'allergie.

Aloe vera, le docteur en pot

Au quotidien, cette plante soigne brûlures, gerçures, coups de soleil, ampoules, piqûres d'insectes, mais aussi irritations, acné, eczéma, herpès et inflammations de la sphère buccale.

Les propriétés hydratantes et cicatrisantes du gel qu'on tire de ses feuilles en font une plante de choix pour les premiers soins.

Par voie interne, l'aloe vera est indiqué dans les désordres intestinaux.

En pratique, achetez une aloe vera en pot (vérifiez qu'il s'agit de la bonne espèce : *Aloe vera barbadensis* en latin).

Pour en récolter le gel, le procédé est relativement simple : coupez une feuille extérieure, puis sectionnez une tranche de 2 cm (réfrigérez le reste de la feuille pour une utilisation ultérieure). Supprimez les épines sur les côtes de cette tranche, ôtez la peau verte scrupuleusement (le latex qu'elle contient ne doit pas contaminer le gel, il est irritant et laxatif. Sinon lavez le gel obtenu pour éliminer le latex), puis récupérez la pulpe translucide : c'est le fameux gel, à utiliser immédiatement avant qu'il ne s'oxyde.

On trouve aussi des feuilles entières au rayon fruits et légumes des magasins bio et de certains supermarchés. Green power invador ! Tout sur l'aloe vera, par notre spécialiste Françoise Couic-Marinier : https://www.youtube.com/watch?v=FF3b4JGKOBQ

Dans mon sac à main, j'ai toujours...

Le remède Rescue ou « urgence » des Fleurs de Bach® ! C'est un must à toujours avoir sur soi, pour se recentrer, éviter les crises de nerfs ou diminuer les chocs émotionnels : prenez 4 gouttes sur la langue ou dans un verre d'eau dès qu'un stress vous submerge.

De l'homéopathie ! Réservez une petite place aux granulés d'arnica 9 CH, à prendre en cas de coup, de chute et tout autre traumatisme (3 granules, 3 fois par jour, à renouveler).

Chapitre 3

Natural beautista

Être belle au naturel ne veut pas dire faire zéro effort ! Pour magnifier son teint, ses cheveux et ses courbes, huiles végétales et autres ingrédients green doivent être employés avec rigueur, au saut du lit comme à la fin de la journée, dans l'assiette ou pour accompagner la healthy girl que vous êtes !

Pour cela, on s'oriente sur la « slow cosmétique », une démarche qui est à la beauté ce que le mouvement Slow Food est à l'alimentation : elle met au pilori les cosmétiques industriels et toxiques, et propose à la place des produits sains et écoresponsables. Exit, les crèmes miracles-mirages, place aux produits de qualité, simples et tout aussi efficaces !

Découvrez aussi les bases de la cosmétique home made, pour maîtriser ce que vous appliquez sur votre peau et vos cheveux. Et parce que le green glamour se cultive aussi de l'intérieur : faites le plein de bonnes huiles alimentaires et de fruits et légumes antioxydants.

Mes petits rituels au quotidien

Les publicitaires veulent à tout prix faire rimer beauté avec complexité. Ne tombez pas dans le panneau ! En réalité, la peau a des besoins assez simples : un bon nettoyage et une bonne hydratation, et ce, au quotidien. Il faut savoir que le pH de la peau est naturellement acide (5,5 environ) ; or c'est cette acidité naturelle qui la préserve des microbes. Eh oui, votre peau est avant tout une barrière entre votre corps et le monde extérieur ! Grâce à des actifs végétaux, vous allez efficacement protéger ce « manteau acide », en nourrissant le film hydrolipidique de la peau tout en respectant son pH.

Mon rituel beauté du matin

Être une green beauty, ça commence dès le matin. Pas question d'affronter le froid, le vent, les UV ou la pollution sans avoir apporté le maximum de bons actifs botaniques à sa peau ! Voici un rituel pour le visage en 3 étapes, utilisant deux produits végétaux bruts suivis d'une crème, bio of course. Vous n'aimez pas la routine ? Ce rituel beauté du matin apporte tellement de bien-être que vous allez avoir du mal à vous en passer…

Étape 1 : je réveille ma peau !

Après la douche, par exemple, débarbouillez et tonifiez votre visage avec un produit qui respecte l'acidité naturelle de la peau : un hydrolat de rose (il convient à tout type de peau) ou d'une autre plante (voir le « Best of des eaux florales », p. 36). Ce geste vous débarrasse des impuretés et du sébum sécrété pendant la nuit. Il prépare aussi la peau aux soins qui vont suivre.

En pratique : imbibez un disque de coton ou une lingette lavable et passez sur tout le visage sans oublier les yeux.

Geste green : vous allégerez votre production de déchets si vous employez des lingettes lavables, en coton, en eucalyptus ou en bambou (Les tendances d'Emma® en propose un large choix !). Votre peau aussi vous dira merci : elles sont moins asséchantes que les disques de coton jetables.

Étape 2 : j'hydrate un max

Une fois nettoyée, votre peau a besoin d'être super hydratée. Déposez sur le bout des doigts 3 gouttes d'huile de noyau d'abricot ou de jojoba (elles conviennent à toutes les natures de peau) ou d'une autre HV de votre choix (voir le « Best of des huiles végétales », p. 38). Massez votre visage en utilisant la pulpe des doigts et en faisant des mouvements circulaires, puis vers le haut des joues, en tendant légèrement la peau. Ce soin, qui nourrit l'épiderme, lui permet de mieux retenir l'eau au fil de la journée.

Étape 3 : je protège

Bien protéger sa peau, c'est la garantie qu'elle vous protégera en retour ! Appliquez une crème de jour pour la prémunir contre les agressions. Il faut que sa texture soit fondante.

Vous pouvez opter pour une crème bio hydratante simple ou antioxydante. Le top ? Les crèmes à base d'extraits d'algues : ces

Manque de temps le matin ?
Si votre peau n'est pas trop sèche, vous pouvez sauter la deuxième étape. Astuce 2 en 1 : remplacez les étapes 2 et 3 par le geste suivant (très « slow cosmétique ») : mélangez 2 gouttes de votre HV avec 3 gouttes de gel d'aloe vera et massez votre visage.

végétaux marins contiennent naturellement des substances anti-UV et des antioxydants car ils doivent eux-mêmes résister à des conditions extrêmes (exposition au soleil, eau salée, dessèchement…). Recherchez sur les étiquettes l'algue rouge (*Chondrus crispus*) ou encore le fucus (*Fucus vesiculosus*).

Best of des eaux florales

Discrètement parfumés et au pH proche de celui de la peau, les hydrolats et les eaux florales sont d'excellents produits pour l'hygiène et la cosmétique green. On les emploie pour nettoyer le visage en douceur ou comme lotion tonique. Ils remplacent l'eau dans les recettes de la cosmétique home made.

Vous pouvez les mélanger entre eux ! On trouve dans le commerce de nombreux hydrolats : n'achetez que ceux qui ne contiennent aucun additif type conservateur ou arôme. L'étiquette ne doit indiquer qu'un seul ingrédient, signalé par le nom latin de la plante.

Nom	Propriétés et astuces
Eau de rose (*Rosa damascena* ou *Rosa centifolia*)	**La plus voluptueuse** : hydratante, apaisante, purifiante, raffermissante et antirides, elle convient à tous les types de peau.
Eau de fleur d'oranger (*Citrus aurantium* var. *amara*)	**La plus orientale** : elle plaît aussi à toutes les natures de peau, mais surtout aux peaux sèches et elle prévient l'apparition des taches brunes.
Hydrolat de lavande (*Lavandula angustifolia*)	**La plus provençale** : les peaux normales et grasses apprécient ses effets cicatrisants, calmants (rougeurs, brûlures, irritations) et purifiants.
Hydrolat de géranium rosat (*Pelargonium asperum*)	**Le plus envoûtant** : délicieusement parfumé et adoucissant, il ravive tous les types de peaux ternes et fatiguées.
Hydrolat de camomille (romaine ou allemande) (*Anthemis nobilis* ou *Matricaria recutita*)	**Spécial peaux sèches, sensibles et irritées** : il est adoucissant et calmant et soulage les yeux fatigués et irrités. *Les peaux sèches aiment aussi l'hydrolat de ciste, l'eau de rose et l'eau de bleuet.*
Hydrolat de romarin (*Rosmarinus officinalis*)	*Les peaux grasses à problèmes apprécient aussi les hydrolats de tea tree, lavande, lavandin, niaouli et laurier noble.* **Spécial peaux grasses** : régulateur, rééquilibrant, stimulant, régénérant et assainissant.
Eau de bleuet (*Centaurea cyanus*)	**Spécial contour des yeux** : un must pour les paupières gonflées ou irritées ! Humidifiez deux compresses stérilisées et déposez-les sur les yeux fermés pendant 10 min. Just breathe…

Mon rituel beauté du soir

Le soir, inspirez-vous d'un des rituels les plus green qui existent sur la planète : le « layering » made in Japan ! Il s'agit d'un démaquillage à l'HV, suivi de 5 autres étapes permettant de nettoyer et d'hydrater en profondeur sa peau. L'idée ? Pour que le visage reflète la lumière, il doit être parfaitement nourri. Voici ici une version simplifiée en 4 étapes au lieu de 6. Comme pour le rituel du matin, HV et hydrolats sont le secret pour vous green-glamouriser !

Étape 1 : bye bye make-up !

Démaquillez votre visage avec de l'huile végétale. Choisissez pour cela une HV neutre (noyau d'abricot, amande douce ou jojoba) : elle vient même à bout du mascara waterproof (fermez bien les yeux) ! Appliquez directement avec le bout des doigts ou à l'aide d'un coton ou d'une petite éponge naturelle rincée et essorée que vous imbiberez d'huile. C'est un démaquillage non seulement green, mais aussi très doux et qui n'assèche pas la peau car il est sans alcool.

Étape 2 : je cleane !

Cette étape est optionnelle mais permet de bien éliminer le gras de l'HV. À l'aide d'un gel moussant sans savon bio ou d'un savon saponifié à froid (surgras), nettoyez plus en profondeur. On peut utiliser une éponge konjac sur les peaux mixtes. Émulsionnez avec un peu d'eau sur le visage, puis rincez. Essuyez ensuite votre visage avec une serviette propre en tapotant.

Étape 3 : je tonifie

Appliquez votre hydrolat préféré : ce faisant, vous ajoutez de l'eau dans l'épiderme et l'assouplissez. Sautez éventuellement l'étape 2 : ce geste permet lui aussi d'ôter la sensation de gras de l'étape 1. Si vous avez utilisé un savon ou un gel nettoyant, l'hydrolat permet de rétablir le pH de la peau et de réguler la production de sébum.

Étape 4 : je masse

L'étape la plus agréable ! Chaque soir, accordez à votre peau un massage à l'huile qui l'assouplit et évite son dessèchement. 3 gouttes suffisent : étalez sur toute la paume des mains et massez pendant 3 minutes… Vous accordez bien quelques minutes à vos dents pour garder un sourire éclatant ! L'HV utilisée pour le démaquillage convient, mais vous pouvez opter pour une huile plus riche, notamment si vous avez la peau sèche. Le massage du visage permet de stimuler les muscles et la circulation. Tapotez doucement la fine peau des paupières inférieures. Vous pouvez réaliser ce massage en pleine conscience, c'est-à-dire en vous concentrant sur le moment présent : transformez alors cette étape en un soin thérapeutique pour l'esprit !

> On peut aussi profiter de ce massage pour traiter les problèmes de peau comme l'acné ou l'eczéma. En pratique, ajoutez à 10 ml d'HV, 5 gouttes de l'une de ces HE au choix :
> — lavande fine (*Lavandula angustifolia*), antiseptique et cicatrisante,
> — lavande aspic (*Lavandula latifolia*), antiseptique, cicatrisante et kératolytique, véritable « gomme de la peau »,
> — romarin officinal à verbénone (*Rosmarinus officinalis* sb. *verbénone*), kératolytique, gomme ou exfoliant qui dissout la kératine de la peau,
> — géranium (*Pelargonium asperum*), assainissant,
> — ou encore petit grain bigarade (*Citrus aurantium* ssp. *aurantium*), apaisant.

Les +

Le layering classique comporte 2 étapes supplémentaires, qui sont l'application d'un soin pour le contour des yeux et d'une crème de nuit. Respectez-les si vous sentez que votre peau en a besoin. Et, en toute dernière étape, dormez ! Un bon sommeil réparateur est le secret pour un visage et un teint lumineux : il permet au corps de se régénérer.

Best of des huiles végétales

Les HV sont une vraie nourriture pour la peau. En massage sur le visage ou le corps, elles renforcent le ciment intercellulaire de l'épiderme, ce qui permet de mieux garder l'eau dans les tissus. Choisissez toujours une HV bio mais aussi vierge de première pression à froid, un procédé qui respecte les actifs végétaux (acides gras essentiels, oméga-3 et 6, vitamines liposolubles A, D et K…). Apprenez à distinguer les « huiles de base » (HB), fluides, au parfum discret, idéales pour le démaquillage, et les « huiles riches » (HR), très nourrissantes, notamment pour les peaux sèches.

Nom commun	Propriétés et astuces
Abricot	**HB universelle.** Convient à toutes les peaux et peut être mélangée avec de l'huile de nigelle aux vertus purifiantes pour les peaux mixtes.
Jojoba	**HB universelle.** Convient à toutes et particulièrement aux peaux grasses car elle régule la production de sébum, tout comme la noisette et la nigelle.
Amande douce	**HB spéciale peau à tendance sèche.** Cette huile de base convient pour le démaquillage sauf si on a la peau mixte à grasse.
Noisette	**HB spéciale peau grasse.** Elle est régulatrice et favorise l'élimination des points noirs.
Avocat	**HR spécial contour des yeux.** Elle nourrit toutes les peaux, mais surtout les sèches et convient très bien au contour des yeux.
Argan	**HR spécial froid.** Cette huile convient aux peaux sèches ou soumises au froid. Idéale en soin des mains.

Nom commun	Propriétés et astuces
Onagre	HR spécial peau très sèche. Elle apaise aussi les gambettes en post-épilation.
Rose musquée	HR anti-âge. Avec les huiles d'églantier, de figue de Barbarie et de pépins de framboise, c'est l'une des meilleures anti-âge. Elle est idéale pour le contour des yeux.

L'huile de sésame, pour un sourire de star

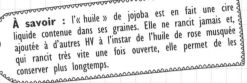

À savoir : l'« huile » de jojoba est en fait une cire liquide contenue dans ses graines. Elle ne rancit jamais et, ajoutée à d'autres HV à l'instar de l'huile de rose musquée qui rancit très vite une fois ouverte, elle permet de les conserver plus longtemps.

Pratique traditionnelle de l'ayurveda, le « gandouch », renommé « oil pulling », est une routine qui aurait de nombreuses vertus sur la santé buccale : meilleure haleine, dents plus fortes, gencives apaisées, caries moins fréquentes… Des stars l'ont adopté : la très green Gwyneth Paltrow lui attribue la blancheur légendaire de son sourire !

Sa pratique est simple : il s'agit de prendre 1 c. à s. d'huile de sésame et de la garder en bouche pendant au minimum 5 minutes. « Mâchez » longuement et faites-la passer énergiquement entre les interstices des dents.
L'huile se charge en toxines, que l'on évacue en recrachant l'huile dans un mouchoir en papier et qu'on jette à la poubelle pour ne pas encrasser les canalisations. Ensuite, rincez votre bouche à l'eau tiède, puis brossez-vous les dents avec un dentifrice bio ou home made. L'oil pulling a, selon l'ayurveda, des vertus détox pour tout l'organisme…

DIY beauté ! Je fais mes cosmétiques maison

Faites entrer Mother Nature dans votre salle de bains ! Mais aussi dans votre cuisine, où vous allez pouvoir mélanger différents ingrédients cosmétiques pour les utiliser tout de suite ou bien pour fabriquer quelques produits à usage fréquent comme un baume à lèvres ou un anticernes. Commencez par intégrer les règles de bonne pratique de la cosmétique DIY : il n'y en a que 5 ! Puis passez vite à la pratique : vous verrez qu'il n'est ni compliqué, ni chronophage de faire soi-même ses produits de beauté. Fierté et satisfaction à la clé !

Les 5 règles de la cosmétique maison

Le naturel n'est pas sans danger, alors la cosmétique home made doit se faire dans le respect d'un certain nombre de précautions pour éviter les mauvaises surprises (moisissures des produits, réactions cutanées indésirables…).

1. Je respecte une hygiène impeccable

Lavez-vous bien les mains au savon, rincez-les, puis séchez-les délicatement.
Désinfectez votre matériel et vos contenants, soit en utilisant de l'alcool
à 70° (disponible en pharmacie), soit en les lavant au détergeant écologique.
Ensuite, rincez le tout si possible à l'eau bouillante et séchez soigneusement.
Évitez les cuillères en bois, des pièges à microbes…

2. Je découvre l'art de la conservation

Idéalement, conservez vos soins au frais et utilisez-les dans le mois qui suit leur fabrication. Et s'ils changent d'odeur, de couleur ou d'aspect, jetez-les ! Protégez les cosmétiques maison de l'air et de la lumière ; les flacons en verre teintés sont faits pour ça.
À l'issue d'une recette, répartissez si possible la préparation dans plusieurs petits contenants et utilisez-les les uns après les autres. Vous pouvez même congeler le surplus !

Il existe des conservateurs naturels qu'on ajoute à raison d'1 goutte pour 10 ml : vitamine E, extrait de pépins de pamplemousse ou HE de romarin à cinéole, d'eucalyptus radié, de lavande fine, de camomille romaine ou de tea tree.

3. J'étiquette !

Choisissez des étiquettes qui résistent à l'humidité d'une salle de bains. Indiquez
le nom du soin, la liste des ingrédients et la date de fabrication.

4. Je teste mes produits au préalable

Faites un test sur la face interne du poignet (l'un des endroits du
corps où la peau est la plus fine). Ce test rapide permet de voir
apparaître une éventuelle réaction cutanée. Cas particulier des
personnes ayant un terrain sensible ou allergique : faites un test
au pli du coude et attendez 48 heures pour voir si la préparation
ne provoque aucune réaction allergique indésirable. Ces différents tests
sont d'autant plus importants si l'on emploie des HE dans la préparation.

5. Je m'équipe

Vous allez avoir besoin de quelques ustensiles clés. Détournez le matériel
de cuisine : bol, petit fouet, casserole… Pour le conditionnement, vive
la récup' ! Pots de crèmes vides, anciens vaporisateurs… Mais pour les

mesures, équipez-vous si possible d'une balance de précision. Un petit entonnoir peut être utile pour transvaser les préparations.

Côté ingrédients, il y a bien sûr les basiques : HV, HE, hydrolats et gel d'aloe vera (à conserver au frais comme les hydrolats). S'ajoutent aussi les ingrédients suivants, que l'on retrouve dans de nombreuses recettes DIY :

La cire d'abeille : agent émulsifiant qui nous vient directement de la ruche ! Elle permet de mélanger les phases grasses et aqueuses des cosmétiques, qui sinon ne se combinent pas harmonieusement. La cire d'abeille se présente souvent sous la forme de granulés.

L'argile : agent minéral qui permet la réalisation de masques purifiants. Elle se décline en plusieurs couleurs : la verte est adaptée aux peaux normales à mixtes, la rouge aux peaux ternes et fatiguées, la blanche aux peaux sensibles et la rose aux peaux réactives.

Mais aussi : la **glycérine** (agent hydratant qui apporte aux mélanges un toucher très doux), le **miel** (cicatrisant et antimicrobien), la **poudre d'amande bio** (agent exfoliant très doux, même pour les peaux sensibles) et le **beurre de karité** (actif hydratant idéal pour la fabrication de baumes).

La recette DIY de base : ma crème de jour minute

Étonnez vos amies (et vous-même !), en préparant en quelques minutes une crème de jour à la texture fondante et soyeuse. Choisissez une HV et un hydrolat correspondant à votre nature de peau (voir les best of des huiles végétales, p. 38, et des eaux florales, p. 36). Cette recette facile et rapide donne à coup sûr le goût de la green cosméto et vous accompagnera au quotidien !

Ma crème de jour minute

Ingrédients et préparation

Versez 15 ml d'HV (amande douce, par exemple, ou une autre en fonction de votre type de peau) dans un petit bol.

Ajoutez 2,4 g de cire d'abeille.

Placez le bol au bain-marie, dans une casserole remplie de quelques cm d'eau frémissante. Fouettez pour accélérer la fonte.

Quand le mélange est homogène, ajoutez, hors du feu, 15 ml d'hydrolat (géranium rosat, par exemple, ou un autre en fonction de votre type de peau).

Remuez sans cesse pour bien homogénéiser.

Résultat

Magique ! La préparation s'épaissit en refroidissant (et elle devient opaque). Mais il faut la mettre en pot tant qu'elle est encore fluide (prévoyez 3 petits pots de 10 ml).

Si la consistance est trop épaisse, faites fondre à nouveau au bain-marie et ajoutez un peu d'HV, ou à l'inverse, rajoutez de la cire d'abeille.

Conservation

Conservez au réfrigérateur 3 mois maximum.

Mes soins green beauty hebdomadaires

Gommages doux, masques à l'argile et bains d'huile pour les cheveux : faites-vous une fleur en réalisant ces gestes simples régulièrement, une fois par semaine si possible. Nous vous proposons pour cela des recettes très simples et très green !

Ateliers DIY
Dans toute la France, en ville comme en milieu rural, sont proposés des ateliers de cosmétique home made. Voir Aroma-Zone à Paris, Herbéo à Bordeaux, Gratteron et Chaussons en Ariège (www.gratteronetchaussons.fr), Mademoiselle Biloba à Lille…

Gommage visage

Exit, peaux mortes, teint brouillé et fatigué ! L'exfoliation consiste à éliminer les déchets cellulaires qui s'accumulent à la surface de l'épiderme, ce qui l'aide à se renouveler et à retrouver de l'éclat. Elle évite donc d'avoir le teint gris et terne, c'est un geste bonne mine et antirides de premier plan ! C'est aussi un atout anti-imperfections (boutons et comédons) : un gommage naturel débarrasse en douceur la peau des cellules mortes qui s'agglutinent avec le sébum et bouchent les pores.

Mon exfoliant doux pour le visage

Ingrédients
- 1 c. à s. de poudre d'amandes
- 1 c. à c. de glycérine
- 1 c. à c. d'HV de votre choix
- 2 gouttes d'HE adaptée à votre peau (lavande aspic pour bien gommer, citron comme antitaches et pour désincruster les points noirs, géranium rosat pour resserrer les pores, tea tree pour désinfecter les pores, palmarosa pour les peaux sèches, carotte pour les peaux déshydratées, néroli pour un moment régressif…).

En pratique
Mélangez les ingrédients dans un petit bol à l'aide d'un mini-fouet et appliquez sur le visage. Effectuez des massages circulaires. Rincez bien. À faire 1 fois par semaine.

Conservation : ce gommage se conserve 1 semaine au réfrigérateur.

Body détox peeling

Le gommage du corps rend la peau des jambes et des bras ultra douce. Après ce soin, hydratez votre peau avec de l'huile végétale pour la nourrir et la protéger des agressions. Very green : vous pouvez simplement utiliser du sucre ou du marc de café, mélangés à parts égales avec de l'HV : la pâte obtenue s'emploie en massage, doux ou vigoureux, sur tout le corps. Ou bien réalisez la recette page suivante.

Take care !
Ne faites pas de gommage si vous souffrez d'eczéma ou de psoriasis. Évitez de vous exposer au soleil immédiatement après à cause de la présence d'HE de pamplemousse qui est photo-sensibilisante. Enfin, ne confondez pas l'HE de cèdre de l'Atlas avec celle de cèdre de Virginie, qui comporte de nombreuses contre-indications.

Mon body peeling au pamplemousse

Ingrédients
- 4 c. à s. de cassonade
- 1 c. à s. d'huile d'argan
- 1 c. à c. de miel liquide
- 2 gouttes d'HE de cèdre de l'Atlas (anticellulite)
- 2 gouttes d'HE de pamplemousse (tonifiante, elle aide aussi à faire pénétrer les actifs de l'HE de cèdre de l'Atlas)

En pratique
Mélangez le tout dans un bol. Laissez reposer 1 h. Sous la douche, humidifiez votre peau et frictionnez-vous avec la préparation. Rincez. À appliquer 1 fois par semaine.

Conservation : ce peeling se conserve 1 semaine au réfrigérateur.

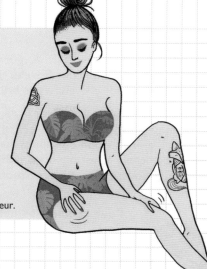

Masque super power à l'argile

Le masque à l'argile permet d'assainir l'épiderme en profondeur. Un must à renouveler chaque semaine, en particulier pour réguler les peaux grasses et mixtes, mais aussi pour redonner un maximum de confort aux peaux sensibles et irritées...

Masque pour peau mixte, grasse et/ou acnéique

Optez pour l'argile verte (montmorillonite ou illite) pour réaliser un masque absorbant.

Ingrédients
- 2 c. à s. d'argile verte en poudre
- 1 c. à c. d'huile de jojoba
- 2 à 3 c. à s. d'hydrolat de lavande

Masque pour peau sèche ou sensible

Choisissez l'argile blanche (kaolinite ou illite) pour un masque apaisant composé d'une HV nourrissante et d'un hydrolat anti-irritation.

Ingrédients
- 2 c. à s. d'argile blanche en poudre
- 1 c. à c. d'huile d'avocat
- 2 à 3 c. à s. d'hydrolat de camomille

En pratique
Mélangez les ingrédients dans un bol pour obtenir une pâte onctueuse. Appliquez sur le visage parfaitement nettoyé en couche épaisse et en évitant le contour des yeux, laissez poser 10 à 15 min et rincez à l'eau tiède. Vaporisez ensuite un hydrolat sur votre visage, passez un coton et appliquez enfin une HV ou une crème hydratante.

Conservation : ce masque se conserve 1 semaine au réfrigérateur.

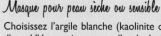

Bain d'huile hair friendly

Cheveux gras, secs ou qui manquent de tonus : rien de tel que le traditionnel bain d'huile **qui** consiste à **s'enduire les cheveux d'huile avant un shampooing**. Ce geste permet d'hydrater la chevelure et d'éviter son dessèchement (l'huile lisse les écailles des cheveux). En ajoutant des HE, on peut adapter le bain d'huile à sa nature de cheveux.

Ingrédients

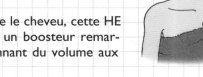

- **Pour les cheveux gras : l'HE de géranium**
  Astringente au niveau du cuir chevelu, cette HE régulera les cuirs chevelus gras et redonnera à la chevelure une brillance et un soyeux incomparables !

- **Pour les cheveux secs, favoriser la repousse et donner du volume : l'HE d'ylang-ylang**
  En régulant la production de sébum qui protège le cheveu, cette HE protège le cheveu. C'est aussi un purifiant et un booster remarquable de la pousse des cheveux, tout en donnant du volume aux cheveux plats.

- **Pour réduire les pellicules : l'HE de citron**
  Cette HE assainit le cuir chevelu, desquame les pellicules et fait remarquablement briller les cheveux en resserrant leurs écailles si on l'utilise après un shampooing, associé à un vinaigre de rinçage.

Mon bain d'huile

En pratique

Mélangez dans un bol 1 à 2 c. à s. d'HV de nigelle ou d'argan à 5 gouttes d'HE choisie en fonction de votre nature de cheveux (géranium, ylang-ylang ou citron). Versez la moitié de ce mélange dans vos paumes et frictionnez-vous les mains. Puis « griffez » les cheveux de haut en bas avec les doigts. Versez le reste du mélange sur le cuir chevelu et massez doucement mais longuement, par des mouvements circulaires. De cette façon, vous l'assouplissez. Laissez poser le soin au moins 20 min, sous une serviette tiède, avant de passer au shampooing (2 lavages seront nécessaires).

Conservation : le bain d'huile ne se conserve pas, il est à appliquer immédiatement.

Mes indispensables à emporter partout

Un baume à lèvres, un anticernes, une huile sèche pour les mains : ces petits produits nomades peuvent aussi être fabriqués en cosmétique maison. Choisissez des contenants qui se ferment bien si vous comptez les glisser dans votre sac. Ce sont aussi de merveilleux cadeaux green à offrir aux copines !

Mon baume à lèvres floral extra volume

Un max d'ingrédients magiques composent cette recette ! Le beurre de karité, en plus de nourrir les lèvres, va donner au baume une consistance solide. Quant aux HE, elles sont dotées de propriétés précieuses (le géranium rosat est régénérant et la mandarine a un effet bonne humeur) et elles parfument aussi délicieusement vos lèvres !

Mon baume à lèvres floral extra volume

Ingrédients
- 12 g de beurre de karité
- 5 g de cire d'abeille
- 5 g d'HV d'amande douce
- 3 gouttes d'HE de géranium rosat
- 6 gouttes d'HE de mandarine

En pratique

Faites fondre le beurre de karité et la cire au bain-marie. Ajoutez l'HV. Hors du feu, versez les HE. Versez le tout dans 3 petits pots de 10 ml et laissez-les refroidir. Glissez-en un dans votre sac à main et conservez les autres au frais ou offrez-les !

Conservation : 6 mois.

Mon anticernes super soft

Allez-y tout doux avec la peau fine et délicate de vos paupières inférieures ! L'HV de calophylle est très apaisante, recommandée aux épidermes qui souffrent d'eczéma. L'HV de rose musquée est un must contre les rides (or celles-ci ont une fâcheuse tendance à s'installer autour des yeux). L'HE de camomille est apaisante tandis que celle d'hélichryse a des vertus circulatoires utiles pour le drainage des cernes.

Petit bémol : l'odeur de ces 2 huiles végétales ne plaira pas à tout le monde !

Astuce : vous pouvez avoir recours en complément aux « trucs » de grand-mère : sachets de thé vert infusés et refroidis ou glaçons enrobés dans un mouchoir. Appliqués sur les cernes, ils resserrent efficacement les pores de la peau et atténuent ainsi le gonflement des paupières.

Mon anticernes super soft

Ingrédients
- 10 ml d'HV de calophylle
- 10 ml d'HV de rose musquée
- 1 goutte d'HE d'hélichryse italienne
- 1 goutte d'HE de camomille romaine

En pratique

Versez tous les ingrédients dans un petit flacon compte-gouttes en verre ambré et secouez bien avant chaque utilisation.

Cette recette est efficace si on l'applique régulièrement et si le massage est adapté : prélevez 1 seule goutte du mélange pour les deux yeux et appliquez-la en massage « drainant » vers l'intérieur, c'est-à-dire de la tempe vers le haut du nez.

Attention : ne mettez jamais d'huile DANS votre œil !

Conservation : 6 mois.

huile
végétale
jojoba

Mon huile sèche douceur des mains

La peau des mains, comme celle du visage, est particulièrement exposée ! Il faut donc souvent l'hydrater, notamment en saison froide. Dans cette recette, on complète les actions régénérantes des HE de géranium rosat et d'hélichryse par celle de lavande aspic, cicatrisante. Avec comme base l'HV de jojoba, cette huile est non grasse et peut être appliquée plusieurs fois par jour en prenant conscience que les mains, à l'instar des pieds, sont connectées avec le reste de notre corps par une série de nerfs : en les massant, on peut dissiper des tensions.

Mon huile sèche douceur des mains

Ingrédients
- 25 ml d'HV de jojoba
- 35 gouttes d'HE de géranium rosat
- 35 gouttes d'HE de lavande aspic
- 20 gouttes d'HE d'hélichryse italienne

En pratique
Versez les ingrédients dans un flacon de 30 ml et secouez avant usage.

Conservation : 6 mois.

Mes secrets pour préparer ma peau au soleil

Un beau bronzage uniforme, ça ne s'improvise pas ! Vous pouvez, quelques semaines avant, réaliser un gommage 1 à 2 fois par semaine pour débarrasser l'épiderme des peaux mortes.

Mon huile bronzage ever last

S'il ne fallait retenir qu'un seul ingrédient green pour préparer sa peau au soleil, ce serait l'huile végétale de carotte ! Riche en bêta-carotène qui facilite le bronzage, elle peut également être utilisée en lotion après-soleil pour prolonger le hâle de l'été. Il s'agit en fait d'un « macérat huileux », c'est-à-dire que des carottes sont mises à macérer dans une huile végétale neutre (par exemple de tournesol ou d'olive). On peut y ajouter les HE de géranium rosat, de lavande aspic et d'ylang-ylang qui régénèrent et cicatrisent la peau.

Mon huile bronzage ever last

Ingrédients
- 90 gouttes d'HE de géranium rosat
- 30 gouttes d'HE de lavande aspic
- 60 gouttes HE d'ylang-ylang
- 45 ml d'huile de carotte
- 5 ml d'huile de jojoba

En pratique
Mélangez les ingrédients dans un flacon de 50 ml. Appliquez tous les soirs quelques gouttes sur votre visage et votre corps, notamment aux endroits les plus secs.

Conservation : 6 mois.

Zoom sur une plante : la rose
Elle symbolise la beauté. Et cette fleur nous aide justement à lutter contre le vieillissement ! La rose musquée (*Rosa rubiginosa*), abondante au Chili, procure une huile végétale aux propriétés anti-âge exceptionnelles. En distillant la rose de Damas (*Rosa damascena*) et la rose de mai (*Rosa centifolia*), on obtient une huile essentielle et un hydrolat qui sont de puissants régénérants cutanés.

Témoignage de Julie Garnier, fondatrice du blog Friendly Beauty et de l'annuaire Breizh Gwer.

« Utiliser des produits sains et simples : c'est l'une de mes priorités ! Les produits bruts ou peu transformés font souvent des miracles sur la peau : du beurre de karité non raffiné la répare et la nourrit, une huile d'olive française de bonne qualité l'assouplit, un hydrolat de lavande la tonifie…

Privilégier les productions locales de qualité

J'aime la dimension locale et éthique de la cosmétique artisanale. Nettoyer ma peau avec un savon saponifié à froid, l'apaiser avec un hydrolat de camomille, puis la nourrir avec de l'huile de chanvre, le tout en provenance directe de producteurs et d'artisans locaux, c'est une belle façon de prendre soin de sa peau, tout en respectant la planète. »

My beauty food

La peau est le plus grand organe du corps humain et elle réagit non seulement aux éléments extérieurs mais aussi à l'alimentation. En complément des cosmétiques, la « biotista » qui sommeille en vous va suivre quelques règles de diététique simples, mais essentielles.

- **La première : s'hydrater suffisamment !** Remerciez Mère Nature, qui offre pastèques et concombres riches en eau en été, justement quand votre peau en a le plus besoin.
- **Limiter les produits laitiers et le gluten**, qui accentuent les réactions allergiques (eczéma).
- **Limiter les matières grasses d'origine animale et les sucreries**, qui génèrent aussi des déséquilibres de la peau et accélèrent son vieillissement.
- Et si l'on est parfois « à fleur de peau », c'est que les émotions fortes et le stress, en fragilisant notre immunité, entraînent des réactions cutanées comme l'eczéma : c'est pourquoi les **vitamines et les minéraux** qui agissent sur le système nerveux (vitamines B et magnésium, par exemple) doivent être apportés en quantité suffisante par notre alimentation.

De l'huile pour une peau souple

Dans votre alimentation, recherchez des **acides gras polyinsaturés**, un type de lipides non seulement bons pour la santé, mais qui donnent de l'éclat au teint et aux cheveux. Ils comprennent d'une part les acides gras essentiels oméga-3 (famous !) qui entretiennent l'élasticité des vaisseaux cutanés et facilitent le passage des nutriments vers les cellules. Ces acides gras incluent aussi les oméga-6 (moins famous) qui restaurent le film lipidique de la peau et évitent ainsi son dessèchement.

Où les trouver ?

Dans les huiles de lin, de cameline, de chanvre, ou encore de colza. Celles-ci ne doivent pas être chauffées : versez-les, au quotidien, sur les salades ou les plats chauds. Ces HV précieuses se conservent au réfrigérateur.

> **L'huile d'onagre** apporte une telle concentration en oméga-6 qu'elle constitue un remède phyto contre la sécheresse cutanée. Si votre peau est sèche, prenez 500 mg par jour sous forme de complément alimentaire. En cas d'eczéma, passez à 2 000 mg ! Dans les formules, vous trouvez souvent l'onagre associée à la bourrache, également riche en acides gras polyinsaturés. À prendre en cure d'1 mois, à renouveler si votre peau reste sèche, peu souple ou rugueuse...

Des vitamines pour une peau éclatante

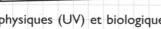

Votre peau, pour se protéger du vieillissement, doit absolument faire le plein de vitamines.

La vitamine A, en premier lieu, qui favorise le renouvellement cellulaire et aide à protéger l'épiderme des UV. Il faut pour cela rechercher dans son alimentation du bêta-carotène, qui permet à l'organisme de la fabriquer.

La vitamine C agit quant à elle à deux niveaux : elle aide à la formation du collagène qui donne son élasticité à la peau et active la microcirculation, d'où une peau moins terne. Ajoutez à votre assiette beauté un bon bol de **polyphénols**, ces antioxydants qui chassent les radicaux libres Or ces derniers, causés par la pollution, les UV, le stress ou encore l'alimentation, accélèrent l'apparition des premières rides ! Les polyphénols sont très répandus dans le règne végétal : les plantes les fabriquent pour repousser les agressions physiques (UV) et biologiques (prédateurs). Parmi les polyphénols, citons les flavonoïdes et les anthocyanes qui, en plus de protéger les plantes, leur donnent leurs couleurs.

> **Le mode de cuisson** *al dente* des légumes — à la vapeur, à l'étouffée — permet de mieux conserver les vitamines. Si possible, consommez les fruits et légumes avec la peau.

Où les trouver ?

Le bêta-carotène : carotte, patate douce, citrouille, épinards, poivron rouge et choux. Côté fruits : melon, papaye ou abricot...

La vitamine C : poivrons, choux, persil et épinards. Côté fruits : kiwi, agrumes, cassis, fraises, mangue et citron…

Herbes aromatiques et épices sont aussi très riches en antioxydants : saupoudrez régulièrement vos plats d'origan, de cannelle, de gingembre, de curcuma…

Les polyphénols : fruits rouges, pomme, raisin, mangue, oignon, artichaut, brocoli…

Jus orange spécial peau de pêche

Les jus frais de fruits et de légumes concentrent les vitamines, les minéraux et les antioxydants : en effet, il faut en passer de grandes quantités à l'extracteur pour n'obtenir qu'un seul petit verre ! Débarrassés de leurs fibres, les végétaux procurent des nutriments hautement biodisponibles, c'est-à-dire qu'ils passent rapidement dans le sang et sont mieux absorbés par nos cellules.

La recette de jus ci-dessous, prise en cure de 3 semaines, peut améliorer la santé de votre épiderme et son éclat, en complément des conseils diététiques ci-dessus. Un vrai shoot de bêta-carotène, de vitamine C et d'antioxydants pour renforcer les défenses de la peau face au soleil !

Le secret des jus « santé » ? Il faut toujours respecter le dosage d'¼ de fruits maximum pour ¾ de légumes. Un jus frais trop chargé en fructose risque d'engendrer une hausse soudaine de la glycémie.

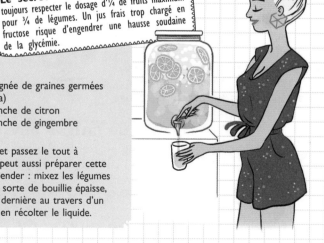

Jus orange spécial peau de pêche
Ingrédients pour 1 verre
- 1 carotte
- ½ betterave jaune
- ½ fenouil
- 1 tranche de chou chinois
- 1 poignée de graines germées (alfalfa)
- 1 tranche de citron
- 1 tranche de gingembre

Préparation
Lavez, coupez en morceaux et passez le tout à l'extracteur de jus. On peut aussi préparer cette recette avec un blender : mixez les légumes pour obtenir une sorte de bouillie épaisse, puis passez cette dernière au travers d'un linge propre pour en récolter le liquide.

Spécial sport : mon green training

Plusieurs remèdes phyto se révèlent très utiles pour accompagner votre activité physique et ce, quel que soit votre niveau. Tout d'abord, les **plantes dites « adaptogènes »**, qui favorisent l'adaptation du corps et l'aident à mieux résister. Plusieurs **huiles essentielles** aux propriétés décontractantes et anti-inflammatoires sont, quant à elles, de véritables must have pour préparer et soulager les muscles. Vous rêviez d'essayer la **gemmothérapie**, la médecine des bourgeons ? Une compétition (votre premier 10 km, par exemple !) sera l'occasion de tester leur effet énergisant !

Les plantes qui boostent la vitalité et le mental de la sportive

Si vous avez besoin d'un coup de pouce **en cas de fatigue ou pour une reprise du sport,** suivez une cure de **plantes adaptogènes**. Ce sont de vraies perles pour le sport : elles favorisent l'énergie et aident le corps à utiliser l'oxygène de façon plus efficace. **Et en préparation d'un effort sportif plus soutenu,** tournez-vous vers les **bourgeons** : leur action au niveau énergétique vous soutiendra dans votre challenge !

En cas de fatigue physique

- **Ginseng en teinture mère :** 50 gouttes dans 1 verre d'eau matin et soir : faites une cure de 15 jours à 2 mois. Cette plante tonifie l'organisme des personnes fatiguées ou affaiblies et rétablit la capacité de travail physique et de concentration intellectuelle.

En cas de reprise du sport

- **Éleuthérocoque en teinture mère :** 50 gouttes matin et soir : faites une cure de 15 jours à 2 mois. L'éleuthérocoque, plante adaptogène antistress utilisée en Chine depuis plus de 4 000 ans, a été recommandée aux cosmonautes russes, afin d'optimiser leur adaptation à l'espace !

Pour préparer un effort physique intense

- **Macérat glycériné de bourgeon de cassis** (*Ribes nigrum*) I DH : 100 gouttes matin et midi dans un peu d'eau 15 min avant les repas, la veille d'une compétition et les jours de compétition, associé à :
- **Macérat glycériné de bourgeon de séquoia** (*Sequoïadendron giganteum*) I DH : 100 gouttes matin et midi dans un peu d'eau 15 min avant les repas, la veille d'une compétition et les jours de compétition.

> Si vous voulez **profiter du sport pour faire une parenthèse nature**, plusieurs activités s'offrent à vous : en forêt ou dans un parc, essayez la marche rapide, le running ou le vélo. Si vous avez la chance de vivre dans un environnement green, découvrez le longe-côte ou encore l'escalade, deux sports qui permettent une profonde osmose avec les éléments naturels, la mer dans un cas, les rochers dans l'autre.

Spécial training : avant/après

Ma potion magique before training

Si vous prévoyez une séance intense de sport, il est important de bien préparer vos muscles à l'effort et de chauffer votre peau, que cette séance soit occasionnelle ou plus régulière.

Dans la formule suivante, les HE agissent comme décontractants musculaires. En particulier, l'HE d'eucalyptus citronné calme toutes les douleurs préexistantes et qui pourraient contracter les muscles, l'HE de lavande aspic contient du camphre qui chauffe la peau et l'HE de gaulthérie active la circulation. L'HV de noyau d'abricot permet une bonne pénétration des actifs, tandis que celle d'arnica a, comme les HE choisies dans la formule, une action anti-inflammatoire.

Que ce soit pour un sport explosif ou d'endurance, la formule sera la même, à appliquer dans tous les cas 15 min avant l'effort.

Ma potion magique before training

Ingrédients

- 3 gouttes d'HE d'eucalyptus citronné
- 3 gouttes d'HE de lavande aspic
- 3 gouttes d'HE de gaulthérie couchée ou odorante
- 10 ml d'HV de noyau d'abricot ou d'arnica

En pratique

Massez les muscles qui seront particulièrement stimulés durant l'effort avec ce mélange. Celui-ci permet d'élever la température des muscles progressivement afin d'éviter les blessures et d'être plus performante.

Conservation : 6 mois.

Attention, cette formule est contre-indiquée aux personnes allergiques à l'aspirine, sous anticoagulants et aux hémophiles (présence de gaulthérie).

Ma potion magique after training pour récupérer

Courbatures, douleurs, fatigue musculaire ? Peu importe, voici la formule pour gommer tous ces bobos en un rien de temps. Et, bien sûr, pensez à vous étirer après toute séance !

Cette recette associe 3 HE magiques qui relaxent les muscles et apaisent toute inflammation, qu'elles soient musculaires, tendineuses ou articulaires.

Ma potion magique after training pour récupérer

Ingrédients
- 60 gouttes d'HE d'eucalyptus citronné
- 30 gouttes d'HE de menthe poivrée
- 60 gouttes d'HE de gaulthérie couchée ou odorante
- 45 ml d'HV de calophylle inophyle ou d'arnica

En pratique
Massez les zones douloureuses avec quelques gouttes de ce mélange, jusqu'à 4 fois par jour pendant 2 jours.

Conservation : 6 mois.

Attention, cette formule est contre-indiquée en cas de dépression, de prise d'anticoagulants ou d'allergie à l'aspirine

---

La menthe poivrée, par son effet froid, anesthésie littéralement les douleurs pouvant survenir après une séance de sport. Le tout est dilué dans de l'HV de calophylle ou d'arnica, deux huiles aux propriétés anti-inflammatoires.

Malgré la douleur, repartez faire du sport au plus tôt au lieu de souffrir dans votre canapé, car l'acide lactique fabriqué en trop grande quantité lors de l'effort sportif s'élimine par les poumons, en activant la respiration…

Ne confondez pas courbatures et crampes musculaires !

- **Les crampes musculaires**, lorsqu'elles arrivent après l'effort, sont plus symptomatiques d'un manque de magnésium (une cure s'impose !) et se caractérisent par un blocage du muscle très douloureux.

- **Une courbature**, elle, est due à une fermentation à la suite d'un manque d'oxygénation du muscle ou d'une fabrication nouvelle de fibres musculaires. Les douleurs sont plus continues lorsqu'on remobilise le muscle endolori par la présence trop importante d'acide lactique. Employez la « potion magique after training pour récupérer » ci-dessus !

Le témoignage de l'experte :
Mélanie Dupuis, conseillère en herboristerie
et en phytocosmétiques et blogueuse
(www.gratteronetchaussons.fr)

« **Mon remède de sportive outdoor ?** J'ai confectionné une "synergie nomade de secours", en mélangeant dans un flacon les HE suivantes à parts égales : tea tree, citron, eucalyptus radié, palmarosa, niaouli, ravintsara et lavande fine. Elle peut servir comme antiseptique, déodorant et tonifiant.

Déposez 1 à 2 gouttes pures pour désinfecter une petite plaie, apaiser une piqûre, traiter un bouton, mais aussi pour un effet stimulant (sur les poignets) et pour sentir bon (directement sous chaque aisselle ou dans les chaussures de sport). »

Chapitre 4

Je mets mon mental au vert

« Si tu écoutes ton corps lorsqu'il chuchote, tu n'auras pas à l'entendre crier », dit un proverbe tibétain. Cette phrase pleine de sagesse invite à ne pas laisser s'installer le stress et les pensées dark car les petits symptômes qu'ils entraînent peuvent nous rendre malades ! C'est dans cette optique que le Dr Bach a conçu ses élixirs floraux (voir p. 16) : vous allez ici mieux comprendre leur usage. D'autres remèdes végétaux ont aussi le pouvoir d'agir sur notre humeur et nos émotions. De nombreuses plantes prises en tisane ou en extrait contiennent des principes actifs qui stimulent certains récepteurs du cerveau, favorisant un état de relaxation. Les molécules olfactives des huiles essentielles viennent, quant à elles, titiller la cavité nasale, où des cellules sont en connexion avec le siège de nos émotions, qu'elles sont capables de tempérer.

Les plantes ont un avantage de taille : elles n'ont pas les effets secondaires des médicaments calmants, anxiolytiques et antidépresseurs, à savoir somnolence, dépendance, etc. Que du bonheur avec la green thérapie ! Que vous soyez une hyperactive, une « stressée de la vie » ou une nana zen (qui entend bien le rester !), vous trouverez dans ce chapitre des solutions phyto et des rituels green pour cultiver votre paix intérieure…

Mes solutions antistress

On a toutes ressenti un jour ces sensations désagréables lors d'événements difficiles : gorge nouée, creux dans l'estomac, souffle coupé… Manifestations physiques du stress, ces réactions naturelles permettent à l'organisme de faire face instantanément à ce que le cerveau perçoit comme une menace. En même temps qu'un shoot d'adrénaline est mis à disposition des cellules nerveuses, la tension artérielle augmente ainsi que le rythme cardiaque et l'insuline, tandis que la digestion se retrouve bloquée.

Ainsi, toute l'énergie du corps est dirigée vers les muscles pour préparer le corps à réagir. On comprend que, si le phénomène dure ou que si les facteurs de stress s'enchaînent trop rapidement, le corps s'épuise. Inutile d'ajouter un stress supplémentaire à l'organisme avec des molécules chimiques ! Mettez plutôt votre mental au vert avec les plantes.

Mes solutions phyto et aroma

Je travaille trop, je vis à cent à l'heure sans faire de pause ou je traverse une situation un peu « hard » au niveau émotionnel (rupture sentimentale, challenge professionnel, arrêt de la cigarette, conflit familial, déménagement…) : ces différentes situations ont en commun le stress qu'elles génèrent.

Pour chaque cas, 2 solutions !

- **La phytothérapie** : les plantes, prises en tisane ou en extrait, agissent dans la durée avec même une action préventive : leurs principes actifs, libérés dans la circulation sanguine, viennent stimuler les récepteurs de la relaxation.

- **L'aromathérapie** : les HE, aux propriétés antistress, vous apaisent très rapidement : en effet, en inhalation, leurs principes actifs volatils agissent en quelques dizaines de secondes puisque seulement deux ou trois neurones séparent les neurones olfactifs qui tapissent la cavité nasale des récepteurs du cerveau.

« Un événement important me stresse »…

Entretien d'embauche, prise de parole en public, voyage d'affaires, compétition sportive… : lorsqu'on sait à l'avance qu'un événement va nous stresser, on peut anticiper avec des plantes qui apaisent le système nerveux et une HE qui rebooste la confiance en soi.

Autant faire en sorte que l'« avant » ne soit pas synonyme de torture psychologique et que, le jour J, on paraisse la personne la plus shiny et la plus charismatique au monde !

On trouve aussi ces plantes en compléments alimentaires (gélules, extrait hydro-alcoolique, etc.), plus simples d'emploi.

Solution phyto

La passiflore est la plante du calme par excellence, connue depuis les Aztèques ! Elle amplifie les effets sédatifs des autres remèdes agissant sur le système nerveux. On peut donc prendre en complément de l'aubépine, idéale pour la nervosité et le stress qui se manifestent au niveau de la sphère cardiaque.

En pratique : préparez une tisane en plongeant 3 g de passiflore (ou d'un mélange de passiflore et d'aubépine) dans 25 cl d'eau bouillante et buvez-en 3 fois par jour.

Solution aroma

L'HE de laurier noble (*Laurus nobilis*) est très efficace pour stimuler vos facultés mentales et vous donner confiance. Dans les moments de doute, plutôt qu'une couronne de fleurs, arborez une couronne de laurier !

Profonde détente
Le stress s'imprime dans notre chair sous la forme de tensions musculaires. N'hésitez pas à vous offrir un massage aux huiles essentielles relaxantes comme la lavande fine (*Lavandula angustifolia*) ou la mandarine verte (*Citrus reticulata*), diluées dans de l'huile végétale (calophylle inophyle ou amande, par exemple).

En pratique : déposez 2 gouttes sur vos poignets, à respirer, sur un support, à avaler, ou 20 gouttes sur un stick à inhaler dès que nécessaire avant un examen (notamment un oral), une entrevue professionnelle ou un événement sportif, bref n'importe quel moment où vous devez être confiante en vous.

« Je me sens submergée »...

Travail, soucis, hobbies, engagements associatifs (green !)... tout arrive en même temps ! Surmenée, vous en avez assez de votre rythme de vie effréné et avez envie d'une pause cocoon ? Vous aimeriez bien calmer un peu votre mental qui cogite trop et vous retrouver dans une bulle bienfaisante ? Tournez-vous vers une plante adaptogène, c'est-à-dire qui augmente la capacité de l'organisme à s'adapter au stress (voir p. 30). En parallèle, appuyez-vous sur une des HE magiques qui calment le mental et aident à lâcher prise.

Solution phyto

La rhodiola est une adaptogène utilisée traditionnellement contre la fatigue physique et nerveuse. Elle réduit notamment le taux de cortisol, aussi appelée « hormone du stress ». Pendant les périodes difficiles, elle stimule les performances mentales ainsi que l'immunité : des actions intéressantes dans les situations où l'on n'a pas le temps de tomber malade et besoin de rester au top de son énergie !

En pratique : la rhodiola est disponible en complément alimentaire. Suivez la posologie indiquée ! Réalisez une cure d'attaque de 15 jours, faites une pause d'1 semaine et poursuivez 1 semaine par mois durant la période de surmenage.

Solution aroma

Certaines HE ont le pouvoir de réconforter et de vous faire voir la vie en rose instantanément, et ce, de manière durable. C'est le cas de l'HE d'ylang-ylang (*Cananga odorata*). Il existe plusieurs qualités d'HE d'ylang-ylang : préférez la « complète » (c'est indiqué sur l'étiquette), un calmant cardiaque, qui diminue la tension et a un effet antistress tout en agissant sur le niveau de concentration du cerveau, chose ultra utile lorsqu'on n'arrive pas à stopper le flux de ses pensées !

En pratique : déposez 2 gouttes sur le plexus solaire, dès que vous sentez que vous allez craquer.

> **Respirez !**
> C'est justement quand on n'a pas le temps qu'il faut en prendre un peu pour soi ! Une solution simple : téléchargez l'appli gratuite RespiRelax+ qui vous guide pour réaliser des sessions de 5 minutes de respiration profonde.

« Le stress me fait perdre le contrôle »...

Trac, mauvaise nouvelle, peur soudaine : cela nous est arrivé à toutes d'avoir des palpitations et/ou une crise d'angoisse à cause d'une situation particulière. Dans ce cas, l'aroma est la meilleure solution car elle permet de faire disparaître instantanément les sensations d'oppression. Et si vous êtes abonnée aux crises d'angoisse, vous pouvez en complément traiter votre terrain avec une cure « phyto anxiolytique ».

Solution aroma

L'HE de camomille romaine ou noble (*Anthemis nobilis*) est un calmant très puissant du système nerveux.

En pratique : déposez 2 gouttes sur vos poignets, à respirer, ou sur un support, à avaler. À renouveler autant de fois que nécessaire jusqu'à amélioration.

Solution phyto

Le millepertuis, aux fleurs jaunes et lumineuses, a fait l'objet de nombreux travaux scientifiques attestant ses effets sur l'humeur. C'est une plante de premier choix pour apaiser l'anxiété en général et les petites crises de nerfs en particulier. Il faut souvent attendre 2 à 3 semaines avant d'en percevoir les bienfaits.

En pratique : commandez de l'EPS de millepertuis à votre pharmacien, qui vous conseillera pour le dosage et vous briefera sur les contre-indications de cette plante à prendre en compte. Elle réduit en effet l'efficacité d'autres médicaments, notamment la pilule contraceptive microdosée.

> **Prenez soin de vous !**
> Exprimez le plus souvent possible vos émotions et votre ressenti. Faites-vous plaisir, offrez-vous des moments de ressourcement chaque jour. Prenez soin de vous et soyez vous-même. Acceptez de déplaire à certains, et osez dire non !

Green méditation

Nos modes de vie un peu speed ne nous laissent pas toujours le temps d'aller à des séances de méditation. Elles seraient pourtant très utiles pour réduire le stress comme la déprime… Une alternative est la « pleine conscience », un état psychologique qui consiste, même si on est dans l'action, à se concentrer sur le moment présent et à examiner ses sensations. L'objectif est d'accorder une pause à son mental, qui en a bien besoin ! Pratique issue du bouddhisme, la pleine conscience (ou « mindfulness ») est très simple à pratiquer : il s'agit d'observer ses sensations. À défaut de sensations particulières, la pleine conscience se tourne vers les ressentis que procurent le souffle ou la marche : inspirer, expirer, ou poser un pied, puis le soulever, etc. On peut la pratiquer en toute situation. Une green girl pourra donc y recourir dans des moments où elle se trouve en connexion avec le végétal : préparer un plat végétarien où l'on manipule de beaux légumes frais, traverser un parc sur le chemin du travail, ou masser son visage avec une huile végétale lors du rituel de layering (voir p. 37) !

Des stages et ateliers sont organisés par l'Association pour le développement de la mindfulness (www.association-mindfulness.org).

Je savoure le moment présent

Demandez-vous quelles sont les activités que vous réalisez régulièrement et qui vous apportent de la détente. Pour augmenter leur effet antistress, pratiquez-les en pleine conscience, c'est-à-dire en accomplissant chaque geste de manière concentrée et sans penser à autre chose, juste en savourant avec vos cinq sens ce que le moment présent vous apporte.

Je coche ici mes activités quotidiennes green préférées !

❏ Préparer un green bowl composé de légumes, de graines et de fruits.

❏ Faire un running ou marcher dans un parc.

❏ Prendre une douche aromatique.

❏ Réaliser mon rituel layering du soir.

❏ Manger un carré de chocolat bio.

❏ Faire le check-up de mes plantes d'intérieur (s'assurer qu'elles se portent bien !).

❏ Préparer mon Thermos de herbal tea pour la journée.

❏ Composer un mandala végétal.

❏ Autre : ....

Think green !
La nature est pleine de ressources pour notre santé mentale : des scientifiques ont même montré que le taux de cortisol (l'hormone du stress) baissait de 13 % après une simple balade en forêt !

➡ **Je prends rendez-vous avec moi-même chaque jour** pour réaliser au moins une de ces activités en pleine conscience.

Zoom sur une plante zen : le haricot yin yang
Cette graine de haricot doit son nom à son aspect bicolore noir et blanc, marqué des signes du yin et du yang. Le mimétisme est tel que ce haricot possède un point blanc dans la zone noire et un point noir dans la zone blanche. Un modèle d'équilibre ! Tout à fait comestible, elle s'emploie aussi pour la décoration et la méditation : on en dépose une dizaine dans un joli vide-poches et on s'amuse, en pleine conscience, à trouver celle qui présente le dessin le plus fidèle au yin et yang, en méditant sur le symbole.

Rituel relaxing

Pendant les périodes où tensions nerveuses, angoisses et anxiété s'invitent, suivez les étapes de ce rituel green qui vous aidera à « redescendre » et à vous relaxer après une journée agitée.

Step 1 : ma tisane « sleep well »

Ce mélange de plantes sédatives facilite l'endormissement et évite les réveils nocturnes. La mélisse (voir le « Best of des tisanes simples », p. 27), a fait l'objet d'études montrant qu'elle augmentait le taux de GABA (acide gamma-aminobutyrique) dans le cerveau, un neurotransmetteur favorisant calme et relaxation. Savourez votre tisane environ 1 h avant de vous coucher.

Mode d'emploi : mélangez à parts égales passiflore, mélisse, aubépine et valériane. Pour 1 tasse, utilisez 1 c. à s. du mélange. Laissez bouillir 3 min, puis infuser 10 min. Les principes actifs agiront au bout d'une demi-heure. Profitez de ce temps pour réaliser la deuxième étape.

Step 2 : ma respiration abdominale

La respiration « abdominale » consiste à respirer profondément en laissant son ventre se gonfler (lors de l'inspiration) et permet aux poumons de prendre une plus grande amplitude, d'où une oxygénation plus profonde. Cette technique favorise le retour au calme, et donc l'endormissement. Vous restez alors concentrée sur vos ressentis et laissez ainsi vos pensées et autres ruminations de côté.

En pratique : commencez par observer votre respiration sans chercher à la modifier. Puis posez les mains sur votre ventre et respirez pleinement 3 fois : inspirez, bloquez la respiration, expirez. Imaginez votre respiration traversant votre ventre comme une vague qui monte et qui descend. Vous pouvez aussi focaliser votre attention sur une image agréable (une plage, une scène ultra paisible déjà vécue...) qui évoque pour vous la détente.

> **Dodo zen**
> Sanctuaire du repos, la chambre à coucher doit être la plus zen possible : pas d'appareils électroniques, une décoration sobre et une température autour de 19 degrés.

Step 3 : mon incontournable HE de lavande fine

Derrière sa délicieuse fragrance, l'HE de lavande fine (*Lavandula angustifolia*) cache des propriétés sédatives puissantes maintes fois prouvées scientifiquement. Par exemple, un médicament sorti en Allemagne (sous forme de capsules contenant 2 gouttes de cette HE) a montré des effets équivalents à une injection de Diazépam (Valium®) ou autres anxiolytiques allopathiques pour induire le sommeil, sans leurs effets secondaires... alors inutile de vous en priver !

En pratique : déposez 2 gouttes de HE de lavande fine sur vos poignets, sur l'oreiller ou sur un support à avaler, le soir au coucher et en cas de réveil nocturne.

> **Et la lumière fut...**
> Et si bien dormir était aussi une question de lumière ? L'abus d'écran le soir (télé, smartphone, ordinateur) perturbe la production de mélatonine, l'hormone du sommeil. *A contrario*, la lumière naturelle stimule la synthèse de la sérotonine. Profitez du moindre rayon de soleil pour faire le plein de sérotonine et, le soir venu, dites « Good night, see you tomorrow ! » à Instagram...

Best of des remèdes no stress

Voici une sélection des meilleures plantes agissant sur la relaxation. Leur usage ne dispense pas d'un accompagnement psychologique et ou médical.

Nom / parties employées	Propriétés et astuces
Aubépine (*Crataegus laevigata*) / fleurs et feuilles	**La plante du cœur** : calmante du système nerveux et cardiaque, cette plante renferme dans ses fleurs des actifs indiqués en cas de nervosité et de palpitations. Plongez 1 c. à c. de fleurs ou 1 c. à s. de fleurs et de feuilles dans 1 tasse d'eau, faites bouillir 1 min, puis infuser 10 min. Buvez-en matin et soir. Très pratique en gélules ou comprimés contenant un extrait hydro-alcoolique : suivez la posologie indiquée.
Lavande fine (ou « vraie » ou « officinale ») (*Lavandula angustifolia*) / fleurs et HE	**Antispasmodique** : cette lavande est très utile pour détendre les muscles et les tensions nerveuses de la sphère digestive, de la vessie, du cœur ou encore des poumons (asthme). L'HE s'emploie en massage, en déposant 2 gouttes sur le plexus solaire (massez dans le sens inverse des aiguilles d'une montre), ou en inhalation en versant 2 gouttes sur un mouchoir, sur votre oreiller ou en diffusion. On peut réaliser des infusions de fleurs : infuser 1 c. à s. par tasse, à boire matin et soir.
Oranger amer (*Citrus aurantium* var. *amara*) / eau florale	**Parfumée et apaisante** : cette eau florale aide à calmer le système nerveux. Préparez un « café blanc », tradition libanaise, qui consiste à verser 1 c. à s. d'eau de fleur d'oranger dans 1 tasse d'eau chaude.
Passiflore (*Passiflora incarnata*) / parties aériennes	**Un must pour bien dormir** : elle régule l'humeur et provoque un net ralentissement de l'activité de l'organisme. Elle doit son activité calmante à la présence de certains flavonoïdes et alcaloïdes de la famille des harmalines. Très pratique en gélule (suivre la posologie) ou en teinture mère (30 gouttes dans 1 verre d'eau, 2 fois par jour dont un au coucher jusqu'à amélioration).

Nom / parties employées	Propriétés et astuces
Valériane (*Valeriana officinalis*) / racines	**Puissant calmant** : sa réputation de « valium végétal » a été confirmée par la recherche, avec des effets comparables à un somnifère (de type benzodiazépine). Infusez 1 c. à c. de racines dans 1 tasse d'eau chaude pendant 10 min. Optez pour les gélules (suivre la posologie indiquée sur la boîte) ou l'EPS de valériane (posologie à demander à votre pharmacien) si la tisane n'est pas à votre goût...

Témoignage d'Agathe Thine, professeure de yoga (www.agatheyoga.fr)

« Le yoga est l'occasion de prendre un moment pour soi et de se "vider la tête". Ma posture préférée fait référence au monde végétal : la posture de l'arbre. Elle aide à s'enraciner dans le moment présent. Comme les autres postures d'équilibre, elle permet de ramener le mental au présent et d'éviter le vagabondage des pensées : on travaille autant l'équilibre physique que l'équilibre psychique ! »

La posture de l'arbre en live !
« Debout, le dos droit, les plantes de pieds bien ancrées dans le sol. Basculez le poids de votre corps sur votre jambe gauche, puis amenez la plante du pied droit contre l'intérieur de la jambe gauche. Ouvrez bien la hanche et le genou droit vers l'extérieur en veillant à garder les deux hanches alignées. Amenez les deux paumes de mains l'une contre l'autre sur la poitrine, puis, en inspirant, étirez les bras au-dessus de la tête. Fixez un point devant vous afin de vous aider à rester concentrée. Si vous vous sentez à l'aise, essayez de fermer les yeux dans la posture. Tenez 5 profondes respirations, puis changez de côté. »

Mes émotions, les plantes et moi

Les émotions sont essentielles dans notre vie, nous apportant des informations sur des phénomènes impalpables : elles nous servent souvent de boussoles pour guider nos choix. Mais lorsque les bad moods nous submergent, difficile de donner la bonne direction à sa vie ! Des passionnés du green power ont développé des approches très subtiles pour nous aider à gérer nos émotions et ainsi être mieux avec soi et avec les autres : avec les HE, stabilisez votre humeur sur le moment, et avec les Fleurs de Bach®, apaisez durablement votre état émotionnel…

L'aromathérapie émotionnelle pour un effet feel good

Comment ça marche ?

L'odorat est le seul de nos sens à être en relation directe avec le cerveau limbique, siège des émotions ainsi que des souvenirs (autrefois appelé le « rhinencéphale » : le cerveau du nez). On a toutes fait l'expérience d'une odeur qui va tout à coup réactiver une sensation enfouie dans notre mémoire… Sur la base de ce lien subtil, il est tout à fait concevable d'utiliser l'odorat comme moyen thérapeutique pour trouver un soutien émotionnel. Utilisées par voie olfactive (on sent l'odeur au flacon ou déposée sur la peau), les HE vont nous aider à surmonter nos peurs, nos tristesses et nos colères et à retrouver notre paix intérieure : **c'est l'aromathérapie émotionnelle**, aussi appelée « olfactothérapie ».

Inspirée par cette approche originale, l'aromathérapeute Isabelle Sogno-Lalloz a étudié les HE d'un point de vue chimique mais aussi symbolique. Elle s'est par exemple intéressée à l'HE d'épinette noire : cette essence a non seulement des propriétés tonifiantes mais, en plus, elle

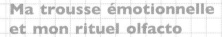

est extraite d'un grand arbre qui évoque la force. Isabelle Sogno-Lalloz a ainsi composé toute une trousse aromatique pour dompter les émotions fortes. **Peur, colère et tristesse :** ces trois grands types d'émotions négatives font certes partie de la nature humaine, mais elles sont consommatrices d'énergie et peuvent provoquer un comportement de repli sur soi. Pour apaiser chacune d'elles, l'aromathérapeute propose plusieurs HE, à adopter en fonction de sa problématique mais aussi de ses goûts en termes d'odeurs.

Ma trousse émotionnelle et mon rituel olfacto

Contre la peur

- HE d'ylang-ylang (*Cananga odorata* extra ou complète ou totum) : crise de panique.
- HE d'angélique (*Angelica archangelica*) : manque de confiance en soi et en l'avenir, cauchemars.
- HE d'épinette noire (*Picea mariana*), et autres grands conifères comme le cèdre de l'Atlas (*Cedrus atlantica*) et le sapin blanc (*Abies alba*) : peurs profondes comme la peur de la solitude ou la peur de la mort.

Bye bye, tristesse...

- HE de mandarine verte (*Citrus reticulata*), et autres essences d'agrumes, orange douce, citron, bergamote, petit grain bigarade : manque de joie de vivre.
- HE de litsée citronnée (*Litsea cubeba*) : besoin de réconfort.
- HE de rose de Damas (*Rosa damascena*) : déception et deuil.

Stop aux colères

- HE de camomille romaine (*Anthemis nobilis*) : émotions vives et excessives.
- HE de lavande fine (*Lavandula angustifolia*) : irritabilité, sautes d'humeur.
- HE de menthe (*Mentha piperita*, *Mentha arvensis*, *Mentha spica*) : colère avec difficulté à prendre du recul sur les événements.
- HE de petit grain bigarade (*Citrus aurantium* var. *amara*) : colère explosive.

En pratique

1. Accueillez votre émotion, même si elle est désagréable. Identifiez-la et essayez d'en comprendre les causes.

2. Choisissez une HE adaptée. Elle doit être d'une qualité olfactive excellente, issue par exemple d'une distillerie artisanale – et d'une production certifiée biologique of course !

3. Asseyez-vous confortablement si possible, fermez les yeux, puis approchez le flacon – ou un mouchoir imprégné de 2 gouttes d'HE – de votre nez. Inspirez lentement, bloquez votre respiration, puis expirez en comptant jusqu'à 5. Répétez au moins 5 fois de suite.

4. Pendant les minutes qui suivent, respirez tranquillement l'HE en portant attention à vos ressentis.

5. Vous allez ensuite « investir d'une mission » votre HE : visualisez intérieurement une scène symbolisant votre objectif de mieux-être tout en continuant à respirer la fragrance. *Exemple* : si vous employez de l'HE d'épinette noire contre la peur de l'avion, imaginez-vous sereine durant un voyage en avion.
Si vous utilisez l'HE de camomille romaine pour éviter de vous mettre en colère face à une personne, voyez-vous ultra zen face à un collègue à la personnalité difficile, etc.

6. Après plusieurs utilisations d'une HE en aromathérapie émotionnelle, son effet sera ancré en vous et vous pourrez l'utiliser à tout moment, en rapport avec votre objectif initial.

Je guéris mes émotions avec des fleurs

38 fleurs, le B.A.-Bach

Pour parler à nos fragilités émotionnelles, le Dr Bach propose un alphabet composé de 38 fleurs : de A comme Agrimony (l'aigremoine en français) à Willow (la fleur du saule). La première est destinée aux personnes qui dissimulent leurs problèmes sous une façade joviale afin de pas montrer leurs faiblesses ; elles peuvent avoir du mal à accepter les conflits – elles les évitent – et c'est là qu'intervient l'élixir. La seconde, Willow, s'adresse à celles qui se sentent toujours victimes, les « Caliméro » qui manquent de positive vibes…

Lorsque le Dr Bach inventa cette médecine émotionnelle dans les années 1930, il mit tout d'abord au point trois remèdes : Clematis, la clématite, utile lorsqu'on rêve de l'avenir sans faire attention au présent ; Impatiens, l'impatience, qui corrige les tempéraments irritables qui ne supportent pas l'attente ; et Mimulus, le mimule tacheté, ou la solution aux peurs de choses connues (phobie, maladie, etc.). Ont suivi 35 autres fleurs pour répondre aux subtilités des fragilités émotionnelles. Nous n'allons pas toutes les énumérer ici ! Vous pouvez retrouver leur description précise sur le site du Centre Bach (www.bachcentre.com).

Le remède Rescue
Le remède du Dr Bach le plus utilisé dans le monde est en fait un mélange, le fameux Rescue avec son flacon jaune vif. Il est composé de 5 fleurs, notamment Clematis et Impatiens, et apporte un soutien dans les situations d'urgence – événement traumatisant, dispute, accident, panique en avion. Rescue est tellement important dans cette médecine des émotions qu'il est considéré comme la 39e fleur de Bach…

Pour voir la vie en rose

On peut classer les fleurs de Bach en 7 grandes familles de sentiments : solitude, sensibilité, préoccupation excessive, souci, tristesse, manque d'intérêt et incertitude. Globalement, on va recourir à ces élixirs floraux pour voir les raisons suivantes :

1. Transformer un trait de caractère négatif en une positive attitude.
2. Apaiser peurs, phobies, incertitudes et angoisses.
3. Voir la vie du bon côté.
4. Faire baisser son niveau de stress.
5. Améliorer ses relations avec les autres.
6. Rétablir son équilibre émotionnel.
7. Économiser des séances chez le psy ;-)

Flower power, mode d'emploi

Il s'agit de remèdes extrêmement dilués, sans danger ni effet secondaire. Identifiez tout d'abord l'élixir correspondant à votre fragilité émotionnelle. Prenez 2 gouttes dans un petit verre d'eau ou directement dans la bouche.

Vous en avez identifié plusieurs ? Vous pouvez mélanger jusqu'à 7 élixirs : dans un flacon de 30 ml, versez 2 gouttes de chaque fleur de Bach et complétez avec de l'eau minérale. Déposez 4 gouttes du mélange directement dans la bouche.

La posologie de base est de 4 prises par jour, mais on peut augmenter le nombre de prises si on en ressent le besoin. Pour rééquilibrer une émotion temporaire, on en prend pendant 1 à 5 jours. Pour une émotion plus ancrée, réalisez une cure d'1 mois : vous devez ressentir les effets au bout d'une vingtaine de jours.

Si vous ne parvenez pas à trouver vous-même la fleur de Bach qui vous convient, tournez-vous vers un(e) conseiller(ère) en élixirs floraux (voir le site www.mesfleursdebach.com).

69 autres élixirs australiens pour plus d'exotisme

Le Dr Bach a fait des émules dans le monde entier et notamment en Australie où un naturopathe, Ian White, s'est inspiré de sa méthode et a développé ses propres élixirs. Au nombre de 69, les fleurs du bush australien abordent des états émotionnels non pris en compte par les Fleurs de Bach®...

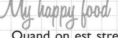

My happy food

Quand on est stressée, l'alimentation passe bien souvent au second plan. Elle peut pourtant être d'un grand secours car elle donne à l'organisme les ressources naturelles pour faire face au stress. Avec des vitamines et des minéraux, nous apportons les bonnes armes à notre body !

9 nutriments antistress

❶ **Le magnésium** : c'est le minéral antistress number one. Il intervient dans la transmission de l'influx nerveux entre les cellules, ce qui permet à l'organisme de mieux réagir au stress. C'est un calmant naturel, qui apaise l'anxiété et améliore le sommeil. On en trouve dans le chocolat noir, les fruits secs comme l'abricot et les céréales complètes. En complément alimentaire, il est mieux assimilé s'il est associé à de la vitamine B6 et s'il est d'origine marine.

❷ **Le calcium** : il agit en tandem avec le magnésium sur le système nerveux. On en trouve dans les légumes verts (épinards, brocoli...), les fruits secs (figue), les poissons gras et les laitages bien sûr.

3 **Le zinc** : cet oligoélément est un antidépresseur naturel. Épinards, thé et coquillages au menu ! Sachez aussi que la consommation d'alcool augmente les besoins en cet oligoélément.

4 **Le sélénium** : cet antioxydant puissant ne doit jamais manquer au risque de ressentir alors une fatigue intense. Céréales complètes et poissons gras en apportent.

5 **Le bêta-carotène** : l'organisme en consomme beaucoup pendant les moments de stress. Fruits et légumes orange (carotte, abricot, melon) au programme !

6 **La vitamine C** : elle améliore le fonctionnement du système nerveux et stimule les défenses immunitaires qui se trouvent déprimées quand nous le sommes nous aussi. Abusez d'agrumes, de fruits rouges et de légumes verts à feuilles.

7 **Les vitamines B1, B2, B3, B5, B6, B9 et B12 (ouf !)** : elles agissent sur la sphère nerveuse et on les trouve dans les céréales complètes et les produits animaux (viandes et œufs). Attention, si vous êtes vegan, à vous complémenter en vitamine B12, car elle est très peu présente dans les aliments végétaux.

8 **Les oméga-3** : ils sont indispensables au bon fonctionnement du cerveau, et des études ont prouvé qu'ils aident à stabiliser l'humeur. L'huile de colza, les petits poissons (sardines, maquereaux…) et les œufs bio ou issus de la filière Bleu-Blanc-Cœur® en sont de bonnes sources.

9 **Les acides aminés** : apportés par les protéines, certains sont indispensables dans l'adaptation au stress. Le tryptophane améliore le sommeil et la tyrosine calme l'anxiété. Consommez du quinoa, des graines de chia, du tofu (qui contiennent les 8 acides aminés essentiels) et associez le plus souvent possible céréales et légumineuses (riz-lentilles, couscous-pois chiches…).

Mes 3 conseils « good food, good mood »

• Commencez par limiter les produits toxiques comme l'alcool et les produits industriels. Troquez les sucres et les céréales raffinées (pain blanc, pâtes blanches, gâteaux…) contre des céréales complètes riches en vitamines B (farine de blé T110, riz semi-complet, flocons d'avoine, etc.).

• Mangez au calme à horaires réguliers. Mastiquez bien (cela facilite la digestion) et préférez un repas léger le soir (une bonne soupe en hiver ou une assiette de légumes colorés en été) pour un meilleur sommeil.

• N'oubliez pas de vous faire plaisir ! Aromates pour rehausser les saveurs, chocolat noir au goûter…

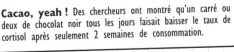

> **Cacao, yeah !** Des chercheurs ont montré qu'un carré ou deux de chocolat noir tous les jours faisait baisser le taux de cortisol après seulement 2 semaines de consommation.

JE METS MON MENTALAU VERT

Chapitre 5

Into the wild : je me connecte à la nature

Vous avez invité le green power dans votre salle de bains, votre cuisine et même votre chambre à coucher… Il est grand temps d'aller à sa rencontre en pleine nature ! Succombez à l'appel de la forêt, de la campagne et des bulles vertes qu'on trouve en ville, vous y trouverez d'autres trésors healthy et good mood…

« Vitamine G » – pour green –, c'est le nom donné par les scientifiques aux nombreux bénéfices que l'on retire du contact avec la nature : elle agit sur notre corps avec des bienfaits mesurables sur le bien-être (sphères immunitaire et cardio-vasculaire) et les marqueurs du stress. Découvrez dès maintenant des tips de reconnexion au monde végétal, pour chaque saison !

Et telle une green girl qui a toujours envie d'aller plus loin, allez-y franco : mettez les mains dans la terre ! Jardinage ultra écolo au programme, au jardin ou au balcon… Vous avez toutes les clés pour réduire votre empreinte sur la planète : la nature est généreuse, alors soyez-le aussi en retour. Parce qu'elle le vaut bien, non ?

Mes petits plaisirs 100 % nature

Non, la vie urbaine n'empêche pas les immersions dans la nature ! Un parc peuplé de grands arbres peut accueillir une grande biodiversité à qui sait regarder… Et ce d'autant plus qu'il est interdit, depuis le 1er janvier 2017, d'utiliser des pesticides dans les espaces verts publics : fini, les serial killer d'abeilles ! La campagne et la forêt ne sont jamais bien

loin. Voici des idées nature bien adaptées à chaque saison : cueillettes printanières yummy, glamping ou WWOOFing en été, etc. La vitamine green est gratuite et sans contre-indication, alors profitez-en !

Au printemps, je cueille des plantes sauvages

La cueillette des plantes sauvages est une activité de profonde reconnexion à la nature : en consommant ces végétaux, vous communiez littéralement avec votre environnement ! Si vous achetez un livre dédié à la cueillette, vous serez étonnée de l'abondance des plantes comestibles. Et si vous participez à un stage de cuisine sauvage, vous serez surprise de pouvoir manger aussi tasty ! Le printemps est la saison idéale pour se lancer dans cette green aventure, car certains musts (ail des ours, fleurs d'acacias…) ne sont disponibles qu'à ce moment-là. Mais elle se pratique toute l'année : mûres sauvages en été, champignons à l'automne, etc.

Pour une cueillette safe...

- Identifiez rigoureusement les plantes : munissez-vous d'un livre de botanique ou participez à un stage de cueillette animée par un spécialiste (voir carnet d'adresses, p. 92).

- Récoltez de préférence au couteau ou aux ciseaux et conservez les plantes dans un sachet en papier.

- Ne cueillez jamais la totalité d'une espèce sur un même spot : laissez au moins $1/4$ des plantes, afin que le biotope se renouvelle.

- Fuyez les lieux pollués, à proximité des routes très fréquentées, des champs (sauf s'ils sont cultivés en bio) et des sites industriels. En cas de doute, lavez les plantes à l'eau vinaigrée.

- Les chiens et les renards peuvent transmettre des microbes via leurs déjections. Dans les lieux très fréquentés par ces animaux, ne cueillez pas de plantes à moins de 50 cm de hauteur ou bien lavez-les et faites-les cuire avant de les consommer.

4 plantes easy

L'acacia : à la campagne comme en ville, cet arbre produit une quantité de grappes de fleurs blanches impressionnante. Il n'y a qu'à tendre le bras et se servir ! La tradition veut qu'on les mange en beignets, délicieusement parfumés : il suffit pour cela de réaliser une pâte à frire dans laquelle on fait tremper chaque grappe avant de les faire cuire dans une huile bien chaude. Mais vous pouvez aussi les faire sécher et les garder pour préparer des infusions calmantes (2 c. à s. par tasse).

Le tilleul : on connaît bien ses fleurs, à cueillir fin mai-début juin, qui procurent une tisane antistress aux notes miellées. On sait moins qu'au début du printemps, on peut déguster les jeunes feuilles, lorsqu'elles

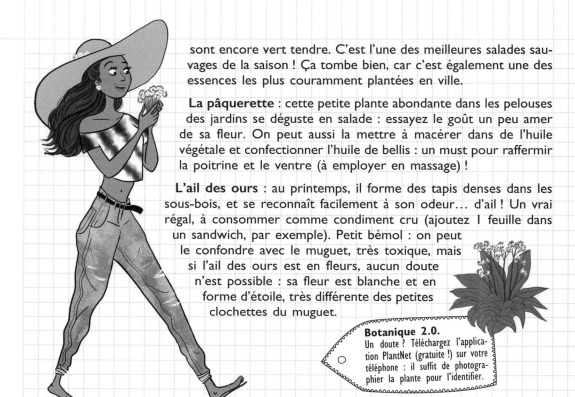

sont encore vert tendre. C'est l'une des meilleures salades sauvages de la saison ! Ça tombe bien, car c'est également une des essences les plus couramment plantées en ville.

La pâquerette : cette petite plante abondante dans les pelouses des jardins se déguste en salade : essayez le goût un peu amer de sa fleur. On peut aussi la mettre à macérer dans de l'huile végétale et confectionner l'huile de bellis : un must pour raffermir la poitrine et le ventre (à employer en massage) !

L'ail des ours : au printemps, il forme des tapis denses dans les sous-bois, et se reconnaît facilement à son odeur… d'ail ! Un vrai régal, à consommer comme condiment cru (ajoutez 1 feuille dans un sandwich, par exemple). Petit bémol : on peut le confondre avec le muguet, très toxique, mais si l'ail des ours est en fleurs, aucun doute n'est possible : sa fleur est blanche et en forme d'étoile, très différente des petites clochettes du muguet.

Botanique 2.0.
Un doute ? Téléchargez l'application PlantNet (gratuite !) sur votre téléphone : il suffit de photographier la plante pour l'identifier.

Témoignage de Christophe de Hody, naturopathe, herbaliste et cueilleur urbain (www.lechemindelanature.com)

« **La ville n'est pas faite que de béton.** Les urbains ont accès à beaucoup de forêts, de parcs et de nature spontanée. À Paris, le bois de Vincennes est accessible par métro et on peut y marcher pendant des heures sans croiser de route ! En dehors du centre-ville, on trouve une abondance d'espèces comestibles et médicinales. On ressort d'une cueillette avec des souvenirs gustatifs et un nouveau regard sur la nature, tellement riche et généreuse.

Mes précautions de cueilleur urbain ? Cueillir des plantes situées à au moins 30 m d'une route et récolter les jeunes feuilles des arbres ou les jeunes pousses, qui n'ont pas eu le temps d'être souillées par les pots d'échappement ou par les chiens. Dans les parcs très fréquentés, je fais cuire les plantes basses ou je les cueille au-dessus de 50 cm. Il y a bien sûr une certaine pollution en ville. Mais aussi moins de pesticides ! »

En été, je m'offre une totale immersion

Profitez de l'été pour renouer intensément avec la nature, la météo et les vacances aidant… L'offre d'hébergements green est très variée, s'inspirant d'habitats traditionnels qui facilitent la proximité avec les éléments naturels : yourtes, cabanes, tipis, maisons troglodytes… On trouve même une sorte de village hobbit – une résidence de tourisme nommée les « Collines de Sainte-Féréole », avec des maisons semi-enterrées et munies de toitures végétales ! Gîtes de France® propose plusieurs centaines d'adresses écolo, des « écogîtes », dont certains sont labellisés Panda® s'ils disposent d'un équipement d'observation de la nature.

2 green trips lointains

La France regorge de destinations vertes pour vous en mettre plein les yeux : Cévennes, pays Basque, Vercors, Verdon, etc. Mais pour encore plus de dépaysement, offrez-vous un trip à **Madère**, une île portugaise au climat subtropical : un vrai paradis des fleurs ! Leur diversité est due à la position géographique de l'île, son relief et l'océan. Encore plus green : le **Costa Rica**, que tous les passionnés de nature rêvent de découvrir un jour. Ce petit pays abrite 6 % de la biodiversité mondiale alors que son territoire ne couvre que 0,03 % des terres émergées. Son secret : un corridor écologique qui favorise le brassage des espèces, entre l'Amérique du Nord et du Sud, et entre le Pacifique et la mer des Caraïbes.

Glamping, WWOOFing®, surviving

Des nouvelles tendances s'offrent à vous pour vous reconnecter à la nature intensément :

* **en mode glamping :** contraction de camping et glamour, ce bivouac chic offre un choix d'adresses pas forcément très chères mais surtout calmes (pour écouter les bruits de la nature !) et confortables. Le réseau Huttopia®, par exemple, dispose de campings et villages forestiers dans toute la France, avec de grandes tentes en toile et de vrais lits. #greenglam

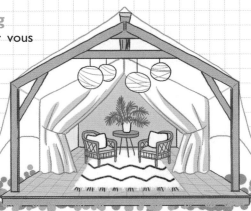

- **en mode WWOOFing** : le World Wide Opportunities on Organic Farms est un réseau de fermes agroécologiques où vous serez logée et nourrie en échange d'une participation aux différentes tâches agricoles : désherbage, récolte, construction d'éco-bâtiments, etc. Reconnexion à la terre garantie. Plus de 1 000 adresses en France et des milliers à l'étranger ! www.wwoof.fr

Tentez un stage avec le génial John C., formateur en survie dans la nature : www.ecoledevieetsurvieenforet.com.

- **en mode survie** : les plus aventurières peuvent opter pour le camping sauvage, autorisé en France à condition de vérifier qu'il n'y a pas d'interdiction municipale. Dans un terrain privé, il suffit de demander aux heureux propriétaires. Et dans les parcs nationaux (Pyrénées, Cévennes, Écrins…), le bivouac est possible si l'on s'installe à plus d'une heure de marche des limites du parc.

En automne, je prends des bains de forêt

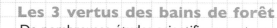

La pratique des bains de forêt est née au Japon, ce pays hyper branché nature mais où la population urbaine souffre beaucoup du stress. Appelée « shinrin yoku », elle consiste à se plonger dans un écosystème forestier et de profiter de ses bienfaits. 20 minutes sont suffisantes pour se sentir plus détendue. En France comme au Japon, les forêts sont très nombreuses, alors no excuse ! Vous pouvez pratiquer le shinrin yoku en toute saison, mais en automne, profitez des incroyables teintes des feuilles et boostez votre immunité pour bien affronter l'hiver.

Les 3 vertus des bains de forêt

De nombreuses études scientifiques ont prouvé des effets positifs sur…

1. Le stress : les bains de forêt font chuter le taux de cortisol (hormone du stress) et la tension artérielle. On doit cet effet à la présence de composés aromatiques qui émanent des feuilles des arbres : les phytoncides. La zone du cerveau correspondant aux ruminations est désactivée. Adieu, angoisses et stress !

② L'immunité : les grands arbres renforcent l'activité des cellules NK (*natural killer*) qui luttent contre les virus. Encore une fois, remerciez les phytoncides ! L'immersion en forêt aide donc à se préparer aux épidémies hivernales.

③ La créativité : le simple fait de marcher en forêt améliore l'intuition, la concentration et l'imagination. Pendant votre pause déjeuner, cherchez l'inspiration in the woods !

Comment se pratique le shinrin yoku ?

Rendez-vous dans une forêt ou dans un parc disposant de grands arbres : plus la densité végétale est importante, mieux c'est ! Arrivée sur place c'est très simple :

• **Pendant une dizaine de minutes, marchez calmement** et ramenez votre attention sur vos pas à chaque fois qu'une pensée parasite (travail, rendez-vous à prendre, etc.) pointe le bout de son nez. L'idée est de vous déconnecter de vos activités habituelles et de vous brancher sur l'énergie de la forêt.

• **Puis arrêtez-vous afin d'ouvrir vos cinq sens** l'un après l'autre. Observez les plantes, écoutez le chant des oiseaux et le bruissement des feuilles, sentez les odeurs. Posez vos mains sur le tronc d'un arbre si vous êtes fan de tree hugs et goûtez une feuille si vous l'avez identifiée comme étant comestible… Cette étape peut durer quelques minutes, mais vous pouvez la prolonger autant que vous le souhaitez.

• **Reprenez la marche** pendant au moins 5 minutes, en continuant à porter votre attention sur vos sensations.

Plus vous prendrez des bains de forêt avec régularité, plus vous en ressentirez les bénéfices.

En hiver, je passe en mode hygge

Pas d'hibernation pour les green girls ! Si le repos végétatif des plantes en hiver doit nous inciter à ralentir le rythme, l'idéal est de s'exposer dès que possible à la lumière naturelle pour aider le corps à secréter de la sérotonine, une hormone antistress.

Et ne vous coupez pas du monde extérieur : les relations sociales sont aussi bonnes pour le moral ! Pendant cette saison, le green power incite à se mettre en mode « hygge » (prononcez *hou-ga*) : ce mot danois décrit un sentiment de bien-être procuré par un moment chaleureux, réconfortant et convivial. Ce lifestyle venu du Nord de l'Europe permet de passer l'hiver sans déprimer.

Top 5 des activités green et hygge en hiver

1. **Je chouchoute mon intérieur** : déco écolo, plantes vertes et bougies aux huiles essentielles… fondamentalement, le lifestyle hygge est l'art d'être bien chez soi et d'y recevoir confortablement ses amis.

2. **J'invite mes best friends et je leur fais découvrir le green power** : autour d'un herbal tea, proposez-leur un atelier cosmétique DIY (bain d'huile végétale pour les cheveux, masque à l'argile…).

3. **Je me balade dans un parc ou en forêt** : quelles que soient les températures, les Danois apprécient de passer du temps dans la nature. Idéalement, sortez par beau temps et exposez votre peau (visage et mains) au soleil d'hiver. Et, au retour, réchauffez-vous avec un comfort drink : matcha latte, golden milk, etc.

4. **J'organise un dîner entre amis** en préparant un repas qui met l'accent sur le local et le végétal. En règle générale, ne lésinez pas sur le (bon) gras en hiver car il aide le corps à lutter contre le froid.

5. **Je vais au sauna**, sans oublier d'inviter mes copines et de prendre mon flacon d'huile essentielle d'eucalyptus radié (versez 3 gouttes sur les pierres chaudes toutes les 10 min). Et si j'ai une baignoire, je prends régulièrement des bains aromatiques (ajoutez 10 gouttes d'HE de lavande fine, de mandarine ou d'ylang-ylang à 3 c. à s. de base lavante neutre et versez le mélange dans l'eau).

Je me branche à la terre pour recharger mes batteries

Si, malgré vos efforts, la fatigue vous gagne, adoptez **l'arbre de vie**, un rituel d'ancrage emprunté au chamanisme. Il permet d'établir une connexion entre les énergies de son corps et celles de la terre. En pratique :

- Tenez-vous debout, dans une position confortable.
- Imaginez que votre colonne vertébrale est un tronc d'arbre avec, à sa base, des racines qui plongent jusqu'au centre de la terre.
- Ressentez la pression du sol, la roche, voire les pulsations de la terre.

- Sur une inspiration, puisez l'énergie de la terre et sentez-la monter en vous comme la sève dans l'arbre.
- Du haut de votre crâne sortent des branches qui ploient vers le sol tel un saule pleureur : expirez et sentez la puissance sortir du haut de votre crâne et parcourir vos branches jusqu'à ce qu'elle touche terre à nouveau, créant un cycle.
- Réalisez ainsi plusieurs respirations.

Retour à la terre

Ces dernières années ont vu se développer l'agriculture urbaine : jardins partagés créés sur des friches, toits d'immeubles cultivés, plantations d'arbres fruitiers sur les trottoirs... Les mini-fermes poussent comme des champignons en ville ! Chaque année, depuis 2016, sont organisés les « 48 heures de l'agriculture urbaine » par la Sauge, une association qui incite les gens à végétaliser leur environnement. Si, à la campagne, le bio reste le modèle agricole écolo de référence, en ville s'est imposée la « permaculture », une approche bien adaptée aux petits espaces. Et si vous deveniez aussi « agricultrice urbaine » ? Suivez nos conseils et créez votre propre oasis.

Permaculture is the new green

Aujourd'hui, on va plus loin que le bio, on applique les principes de la permaculture ! Inventée par deux écologistes australiens dans les années 1970, elle propose une « *permanent agriculture* » dans laquelle toutes les méthodes de culture s'inspirent des grandes règles du vivant et les respectent. En somme, une approche qui préserve les sols, économise l'eau et respecte la biodiversité ! Elle est bien adaptée au milieu urbain, offrant un mode de culture très productif (de petites surfaces suffisent). À une échelle individuelle ou collective, la permaculture vise à accroître l'autonomie alimentaire.

Se poser les bonnes questions

Qui dit permaculture dit réflexion, alors demandez-vous : « Qu'est-ce que je veux produire ? » et : « De quel espace je dispose pour le faire ? »
Si vous voulez cultiver des légumes pour réduire vos achats hebdomadaires, il vaut mieux avoir un jardin (le vôtre ou une parcelle dans

un jardin partagé). Si votre objectif est de cultiver des aromatiques, un balcon fera l'affaire ! Dans les deux cas, observez tout d'abord le site (son exposition au soleil, à la pluie, au vent, etc.) et choisissez les plantes qui s'y adapteront bien : c'est à cette condition que vos pratiques seront les plus écologiques.

Jardins collectifs
Car à plusieurs c'est better, vous pouvez adhérer à un projet permaculturel collectif. Il existe l'association Verpopa (pour verger potager partagé) à Montpellier, le projet Essen'Ciel à Grenoble ou le « Jardin à croquer » à Strasbourg. Partout en France, les « Incroyables comestibles » invitent les habitants à planter des légumes en pleine ville et à indiquer avec une petite pancarte « Nourriture à partager » (www.incredible-edible.info).

Test : To be or not to be permaculture

Les fondateurs de la permaculture ont défini 12 principes pour guider le jardinier… au jardin mais aussi dans sa vie de tous les jours ! Pour plus de fun, nous avons glissé dans cette liste une erreur. À vous de la dénicher !

Les 12 principes de la permaculture (+ cherchez l'erreur !)

1. Observer l'existant (cela permet de cultiver des plantes adaptées).
2. Collecter l'énergie (on récupère l'eau de pluie, par exemple).
3. Créer une production (l'idée est de tendre vers l'autonomie alimentaire).
4. Travailler avec la nature (comme en forêt, couvrir le sol pour le protéger et limiter l'érosion en hiver ou éviter le gel et maintenir l'humidité en été, avec de la paille par exemple).
5. Utiliser les ressources locales (valoriser notamment les plantes sauvages comestibles).
6. Limiter les déchets (et même essayer de les réutiliser en compost pour l'engrais, par exemple !).
7. Revenir à l'essentiel (« less is more »).
8. Intégrer plutôt que séparer (placer côte à côte des plantes qui s'entraident par exemple).
9. Utiliser des solutions à de petites échelles et avec patience (la permaculture valorise le local et la lenteur).
10. Limiter la biodiversité (trop d'espèces végétales différentes vont se concurrencer).
11. Utiliser les petits espaces (un rebord de fenêtre suffit pour accueillir quelques aromatiques).
12. Accueillir le changement et y réagir de manière créative (s'adapter à un printemps très pluvieux, par exemple).

L'erreur ! Le principe 10 ! On ne limite pas la diversité, on l'accueille à bras ouverts ! La permaculture est l'inverse de la monoculture et de la monotonie en général ! Dans les petits espaces, on associe des plantes qui s'entendent bien, voire qui s'entraident (le basilic renforce le goût des tomates, le persil pousse mieux en présence de radis, etc.).

Green balcon

Une manière d'appliquer la permaculture chez soi est de cultiver des plantes aromatiques sur son balcon : on valorise un petit espace et on devient autonome en thym et en basilic (c'est déjà ça !).

Décoratives et utiles

Les plantes aromatiques et médicinales sont de green treasures : leur beau feuillage sera décoratif et, sur un balcon, elles seront toujours près de la cuisine pour relever un plat ou être mises à infuser pour une tisane.

Quelques conseils selon l'exposition…

- Le thym, la sauge, la sarriette, la lavande, le romarin ont besoin de soleil.
- La menthe, la mélisse, la ciboulette, le persil, la coriandre et le basilic apprécieront une place à mi-ombre.

> **Fête des plantes**
> Pour vos achats, allez à la rencontre des pépiniéristes lors des nombreuses foires et bourses organisées dans toute la France. Même dans la capitale, la Sauge (Société d'agriculture urbaine généreuse et engagée) propose de « braderies végétales » où les Parisiens branchés se réunissent pour dénicher de belles plantes pas trop chères.

J'ai du pot

Choisissez des pots munis d'un trou de drainage. Ils doivent être suffisamment grands pour le développement racinaire des plantes : la profondeur doit être de 20 cm minimum. Déposez au fond une bonne couche de gravier et remplissez d'un mélange de terreau, de terre de jardin et de sable. Vous pouvez aligner ces pots ou les étager sur un escabeau pour un effet cascade stylé ! Mais pensez avant tout à respecter les besoins d'exposition de chaque plante.

Arrosez régulièrement en été et ajoutez une fois par mois de l'engrais biologique car la terre en pot s'appauvrit rapidement. Étudiez chaque espèce : le basilic est une plante frileuse qui ne doit pas être sortie avant mi-mai, le romarin a besoin d'un grand pot et la menthe d'une grande jardinière car elle est généreuse et envahissante !

Les bonnes règles pour la récolte

Dès qu'un plant a atteint un bon développement, il suffit de couper des feuilles de façon uniforme pour lui conserver un beau port équilibré.

Certaines plantes dites « annuelles » (elles meurent au bout d'une année, comme le basilic) pourront être récoltées en totalité.

En revanche, **pour les plantes « bisannuelles »** (qui vivent deux ans, tel le persil) et **« vivaces »** (qui vivent plusieurs années, comme la menthe), il faut ralentir la cueillette après l'été afin de favoriser leur « endurcissement » pour l'hiver.

Si vous avez un faible pour une aromatique, plantez-en au moins deux pots afin d'avoir en permanence un pot de récolte et un de repousse.

Best of des fleurs comestibles

Les fleurs sont si belles qu'on ose rarement les manger. Mais on passe à côté de saveurs étonnantes ! On les retrouve d'ailleurs dans les plats de chefs étoilés… Voici une sélection parmi plusieurs dizaines de fleurs comestibles. À vos assiettes !

Plante	Utilisation	Autres exemples
La courgette	**Grande fleur à farcir** : on la trouve au potager, mais aussi chez son marchand de fruits et légumes. Délicieuse avec du fromage frais et des herbes aromatiques.	Potiron, hémérocalle
La rose	**Parfumée pour les desserts** : retirez la base des pétales de rose qui est amère et infusez-les dans du lait végétal afin de préparer des crèmes dessert.	Lavande, mélilot, reine-des-prés, violette odorante, sauge ananas, aspérule odorante, pensée sauvage
Le sureau noir	**« Grappe » de fleurs en beignets** : on en trouve partout au printemps, et on les prépare en beignets (voir p. 69), en sirop (voir ci-dessous) ou tout simplement pour parfumer une salade.	Acacia, arbre de Judée, glycine
La capucine	**Du piquant pour les salades** : on la cultive au jardin ou sur son balcon, et son goût poivré rehausse les saveurs d'une salade !	Primevère, coquelicot, marguerite
La bourrache	**Fleur au goût iodé !** Décorez vos plats salés avec cette jolie fleur en forme d'étoile bleue qui apportera une saveur étonnante proche de l'huître…	Mertensie maritime (appelée aussi « plante-huître »)

Sirop de sureau

Pour 1 bouteille de 75 cl
- 7 ombelles de fleurs de sureau
- 600 g de sucre
- 2 citrons
- 50 cl d'eau

> **De nombreuses fleurs sont toxiques** ! Le perce-neige, le narcisse, le sceau de Salomon, le muguet ou le bouton d'or peuvent causer des troubles cardiaques ou digestifs. Be careful !

Préparation

Détachez les fleurs et déposez-les dans un récipient. Ajoutez 1 citron coupé en rondelles et l'eau bouillante, et laissez macérer pendant 48 h en recouvrant d'un linge propre. Filtrez, puis versez le liquide dans une casserole et ajoutez le jus du 2e citron sans la pulpe. Ajoutez le sucre et chauffez la préparation jusqu'à l'obtention du sirop. Écumez en cours de cuisson. Versez le sirop bouillant dans une bouteille stérilisée. Ce sirop, peu sucré, est à conserver au frais pour une consommation rapide.

À moi la green attitude !

Alors que la forêt brûle et que tous les animaux fuient les flammes, un seul petit oiseau fait des va-et-vient entre l'eau et le feu pour tenter d'éteindre l'incendie : c'est la fable du colibri qui nous apprend que **pour sauvegarder l'environnement, chacun doit « faire sa part »**. L'agroécologiste et philosophe Pierre Rabhi a créé dans les années 2000 un grand réseau autour de cette légende : le Mouvement des Colibris. L'idée est de choisir des produits simples (entendez « non industriels »), d'adopter des gestes respectueux de l'environnement. Magie du green : simplifier sa vie, c'est la rendre plus happy (Pierre Rabhi parle de « sobriété heureuse ») ! Faites aussi votre part en adoptant 3 principes simples : manger local, réduire ses déchets et consommer vert.

Je deviens locavore

Manger local consiste à **consommer des produits cultivés et transformés dans un rayon de 160 km autour de chez soi**. La facture écologique liée au transport est ainsi allégée. Pour la santé, les vitamines des fruits et légumes ayant peu voyagé sont mieux conservées. Il en va de même pour le goût. Plus c'est court, plus c'est savoureux ! Cette dynamique est intimement liée à celle de l'agriculture bio, et généralement les circuits « locavores » défendent une certaine éthique. Méfiez-vous des approches opportunistes et purement commerciales qui surfent sur la vague : certains « paniers paysans » ne sont ni bio, ni produits localement…

Les grands réseaux

Trois grands réseaux français proposent des paniers paysans bio à aller chercher à un point de livraison.

* **Le réseau des AMAP** (Associations pour le maintien d'une agriculture paysanne) : il fait aujourd'hui référence en matière de circuit court. Le principe : les consommateurs d'une commune ou d'un quartier créent une association et organisent eux-mêmes, sans aucun intermédiaire, leur approvisionnement en fruits et légumes, en miel, etc. www.miramap.org

* **La Ruche qui dit oui** : cette entreprise met en relation des producteurs locaux et des consommateurs. www.laruchequiditoui.fr

* **Le réseau Cocagne** : ce sont des exploitations maraîchères qui sont autant d'associations employant des allocataires du RMI, des chômeurs de longue durée, etc. www.reseaucocagne.asso.fr

Je tends vers le zero waste

À l'instar de la permaculture, le « zéro déchet » est un mouvement très fédérateur. Sont organisés de nombreux ateliers zero waste, parfois même dans le cadre de festivals de musique ! **Le but est de ne pas gaspiller et de moins remplir sa poubelle** de déchets dont le transport et le traitement sont très polluants. Béa Johnson, une Française installée près de San Francisco considérée comme la grande prêtresse du zéro déchet, résume la démarche en « 5 R » :

1. *Refuse* : dire non à ce dont on n'a pas besoin, comme un sac plastique pour transporter un petit achat.
2. *Reduce* : revoir ses besoins à la baisse, par exemple du côté de sa garde-robe… Rappelez-vous : less is more !
3. *Reuse* : valoriser au maximum ce qu'on a déjà, tendance vintage en somme !
4. *Recycle* : donner une seconde vie à ses déchets, que l'on va apprendre à bien trier.
5. *Rot* : composter les restes pour qu'ils servent d'engrais aux plantes, et c'est possible même en ville avec un lombricomposteur !

10 gestes anti-gaspi

Les 5 R du zéro déchet se déclinent à l'infini, mais adoptez ces 10 gestes simples et vous serez au quotidien une ambassadrice de la lutte contre le gaspillage.

Quand je fais des achats…

1. J'ai toujours avec moi un sac shopping en coton. Au magasin bio ou dans une boutique de vêtements, je refuse avec green pride les sacs jetables qu'on me propose !
2. Je préfère les aliments vendus en vrac (légumes, céréales, noix, etc.) : je réutilise les sachets en papier kraft que j'ai déjà ou je m'équipe en petits sacs en tissu (des must have du zero waste).
3. J'achète des produits de seconde main en fréquentant les friperies et les brocantes.
4. Je m'inscris à une association ou dans une démarche qui permet d'emprunter ou d'échanger des biens : un SEL (Systèmes d'échange local – www.annuairedessel.org), le site de Share voisins (www.mesvoisins.fr), etc. Inutile d'acheter une perceuse si on s'en sert une fois par an !
5. Je glane ! Une pratique très ancienne qui consiste à ramasser les fruits qui restent sur les arbres cultivés après récolte. Cette pratique s'étend aujourd'hui au milieu urbain, avec par exemple l'association Disco Soupe, qui organise des cessions festives de cuisine de fruits et légumes rebuts ou invendus (www.discosoupe.org).

À la maison...

1 Je fabrique certains produits ménagers (lessive maison à base de savon de Marseille, nettoyant à base de vinaigre blanc...).

2 J'opte pour des produits réutilisables (lingettes démaquillantes lavables, Tupperware®, pailles en métal...).

3 Je cuisine maison : fini, les plats préparés suremballés et rarement bons pour la santé !

4 Je trie mes déchets : j'ai au moins trois poubelles, une pour les déchets secs (plastique, papier...), un pour le verre, une pour les déchets organiques... Et je n'oublie pas le 5e R du zero waste en compostant si possible les pelures de fruits et légumes.

5 J'apprends à valoriser les restes et à cuisiner les fanes (de carottes, de radis, de poireaux...) qui sont riches en vitamines et en antioxydants ! Tartes, soupes, gratins au menu...

Zoom sur une plante : le citron
En tranche, en jus ou sous forme d'huile essentielle, le citron est magique pour le green washing (le vrai, à la maison !). Une rondelle de citron permet de nettoyer le tartre de la salle de bains et de la cuisine : alors on frotte ! Ajoutez 1 goutte d'HE dans l'eau savonnée pour mieux dégraisser la vaisselle. Le jus a le pouvoir de conserver plus longtemps les fruits et légumes, les protégeant de l'oxydation lorsqu'on les coupe.

Je consomme vert et bas carbone

C'est aussi en choisissant des produits labellisés et dont la production est peu émettrice de gaz à effet de serre que l'on fait sa part pour protéger la planète. Décodez les labels « verts » : indiqués sur l'étiquette, ceux-ci apportent des garanties sur le mode de production. Et apprenez le B.A.-ba de l'alimentation « bas carbone », c'est-à-dire moins émettrice de CO_2 et autres gaz à effet de serre responsables des dérèglements climatiques.

La jungle des labels green

Ces labels impliquent le respect de règles strictes par les agriculteurs, laboratoires cosmétiques, forestiers, etc. Mais rien ne vous empêche d'aller à la rencontre des producteurs non labellisés et qui travaillent de manière artisanale pour découvrir leurs pratiques !

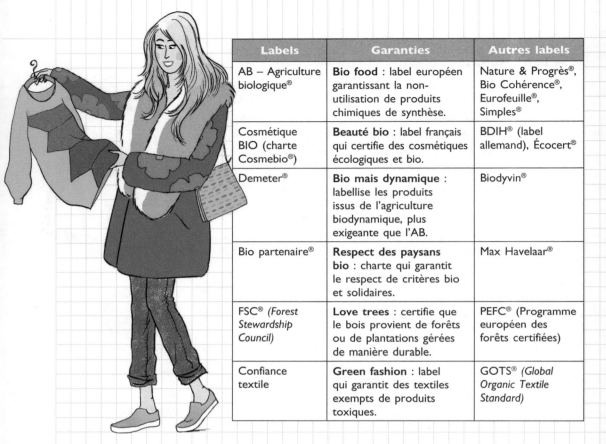

Labels	Garanties	Autres labels
AB – Agriculture biologique®	**Bio food** : label européen garantissant la non-utilisation de produits chimiques de synthèse.	Nature & Progrès®, Bio Cohérence®, Eurofeuille®, Simples®
Cosmétique BIO (charte Cosmebio®)	**Beauté bio** : label français qui certifie des cosmétiques écologiques et bio.	BDIH® (label allemand), Écocert®
Demeter®	**Bio mais dynamique** : labellise les produits issus de l'agriculture biodynamique, plus exigeante que l'AB.	Biodyvin®
Bio partenaire®	**Respect des paysans bio** : charte qui garantit le respect de critères bio et solidaires.	Max Havelaar®
FSC® *(Forest Stewardship Council)*	**Love trees** : certifie que le bois provient de forêts ou de plantations gérées de manière durable.	PEFC® (Programme européen des forêts certifiées)
Confiance textile	**Green fashion** : label qui garantit des textiles exempts de produits toxiques.	GOTS® *(Global Organic Textile Standard)*

Mon assiette écolo

Luttez contre le réchauffement climatique en adoptant le slogan simple de l'association « Bon pour le climat » qui milite pour une cuisine « bas carbone » : la première mesure consiste à manger moins de viande rouge.

En effet, plus de la moitié des gaz à effet de serre d'origine agricole sont dus à l'élevage, notamment à cause du méthane produit par les micro-organismes présents dans le tube digestif des ruminants (bovins, ovins et caprins). Pour remplacer la viande, on se tourne vers les légumineuses, qui apportent des protéines complètes associées à des céréales (riz, blé, maïs…). Haricot rouge, lentille, lentille corail : en plus de leurs bienfaits pour le climat, les légumineuses sont bonnes pour la santé et enrichissent les sols dans lesquels on les cultive. De nombreux plats traditionnels associent céréales et légumineuses : le couscous marie semoule de blé et pois chiches, le dahl de lentilles est inséparable du riz, les tortillas de maïs seraient bien tristes sans leurs haricots rouges… Les combinaisons sont infinies, sublimées aujourd'hui dans de jolis bowls végétariens !

Chapitre 6

Flower power
et déco végétale

Rien de plus simple pour embellir son home sweet home que d'y installer un maximum de plantes vertes ! Ces green friends sont des beautés au naturel qui créent une ambiance chaleureuse partout où on veut bien les laisser pousser. Transformez certaines pièces en mini-serres tropicales ; invitez dans d'autres des créations végétales originales – terrariums et bouquets de fleurs zen – témoignant de votre amour pour la nature. Envie de développer votre créativité et de jouir de la beauté des plantes partout où vous allez ? Essayez-vous au land art ou tentez un tattoo floral !

Végétaliser son home sweet home

Quelques plantes tropicales, une collection de cactus et votre intérieur prend vie ! Mieux encore, la présence de verdure – et c'est la science qui le dit – atténue la fatigue, le stress ainsi que la déshydratation de la peau... Pour le choix des plantes, leur entretien et leur disposition chez vous, les possibilités sont infinies : vous pouvez bien sûr suivre votre instinct – vous êtes peut-être née avec la main verte –, mais vous aurez intérêt à connaître quelques bases en jungle déco.

Les 10 commandements de la jungle déco

1 **Je peux installer des plantes dans toutes les pièces de mon intérieur,** à condition qu'y pénètre un minimum de lumière naturelle. Dans le cas d'une exposition au nord, je place les pots le plus près possible d'une fenêtre et j'évite de tirer les rideaux, surtout en hiver.

❷ Je choisis des espèces et des formats adaptés à chaque pièce : si on peut tout ou presque se permettre dans le salon, on privilégie les végétaux qui aiment l'humidité pour la salle de bains. Dans la cuisine, on préfère les petits pots afin de pouvoir les déplacer facilement quand on a besoin de nettoyer ou de faire de la place.

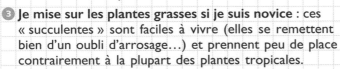

❸ Je mise sur les plantes grasses si je suis novice : ces « succulentes » sont faciles à vivre (elles se remettent bien d'un oubli d'arrosage…) et prennent peu de place contrairement à la plupart des plantes tropicales.

❹ Je soigne la déco végétale de l'entrée pour créer un accueil chaleureux : il suffit d'un tabouret ou d'une étagère pour y installer quelques plantes.

❺ Je regroupe plusieurs feuillages différents au même endroit afin de créer une mini-jungle : idéal pour des recoins un peu vides ou dans la pièce principale. Effet de profondeur et ambiance tropicale garantis ! Magique : en regroupant les plantes, on augmente l'humidité ambiante, ce qui réduit leurs besoins en arrosage.

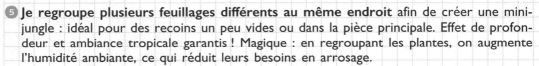

❻ Je respecte les exigences propres à chaque espèce végétale en matière d'arrosage, de luminosité et d'engrais (bio). À l'achat, regardez bien l'étiquette qui indique les besoins de la plante.

❼ Je n'arrose que si nécessaire : les besoins vont varier d'une espèce à l'autre et en fonction de l'humidité de la pièce et de la saison. Inutile d'instaurer une routine régulière !

❽ J'éloigne les plantes des radiateurs et des sources de chaleur : l'effet dessèchement peut être radical…

❾ Je prévois l'arrosage pendant les vacances : protégées de la chaleur, les plantes peuvent survivre facilement 1 à 3 semaines, mais au-delà, demandez à un ami de venir les arroser en les regroupant à un même endroit pour lui faciliter la tâche. Il existe aussi des systèmes d'arrosage vendus dans le commerce.

❿ Je rempote les plantes dont les racines s'échappent du fond du pot : vos green friends grandissent et ont régulièrement besoin de plus grands contenants ! Pour un déménagement en douceur, tirez délicatement la plante par la base des tiges, puis démêlez ses racines à la main avant de l'installer dans son nouveau pot où vous ajouterez du terreau frais.

Plantes faciles pour grands effets...

Il existe de nombreuses espèces de plantes d'intérieur à la fois très esthétiques et faciles à entretenir. Chacune a sa personnalité et son charme bien particulier. Choisissez vos plantes en fonction de l'ambiance que vous souhaitez créer chez vous.

Pour un effet féérique, je choisis des feuillages fins et aériens qui donnent un aspect onirique.

L'asparagus,
au feuillage plumeux.

Le tillandsia,
qui produit des fleurs
dignes du film *Avatar*.

L'oxalis
avec ses feuilles violettes
qui ressemblent à des papillons !

Pour un effet forêt, je choisis des fougères. Parce qu'on a rarement la place d'accueillir un chêne chez soi !

La fougère de Boston,
qui supporte bien les situations ombragées.

Les pteris,
des fougères d'origine tropicale.

Pour un effet jardin tropical, je choisis des plantes aux feuilles géantes et des fleurs colorées. Au bout d'un certain temps, il faudra attacher les plus hautes.

Le *Monstera deliciosa*,
aux grandes feuilles rondes
et dentées.

L'aspidistra,
aux feuilles comme
des langues géantes.

Côté fleurs :
guzmania, orchidées,
spathiphyllum...

Pour un effet cascade verte, je choisis des plantes grimpantes, à placer en haut d'une bibliothèque par exemple.

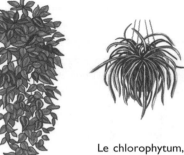

Le pothos,
au feuillage panaché.

Le chlorophytum,
ou la plante araignée,
un must pour
dépolluer l'air !

Le lierre,
on ne fait pas plus
easy !

Le tradescantia,
aux feuilles colorées.

Pour un effet oasis du désert, je choisis un yucca et des cactus de différentes tailles. Ces derniers préfèrent les pièces peu humides (et c'est logique).

Le yucca,
arbre du désert qui nécessite
peu d'arrosage.

Le cereus,
en forme de cierge.

L'opuntia,
avec ses feuilles en raquettes.

Pour un effet épuré, je choisis des plantes grasses à cultiver dans de petits pots (elles décorent votre table quand vous avez des invités).

Une joubarbe,
en forme de mandala naturel.

Un sédum
(difficile de choisir
car ils sont tous craquants !).

Un kalanchoé,
espèce qui fleurit facilement.

Plantes dépolluantes

De nombreuses plantes ont le pouvoir de purifier l'air des polluants chimiques ! La cire de leur feuillage piège les composés organiques volatils (COV). Leurs feuilles absorbent le dioxyde d'azote (NO_2) et l'ozone (O_3). Plante araignée, fougère de Boston, lierre, *Monstera deliciosa*, spathiphyllum, etc. : installez chez vous ces espèces dépolluantes sans oublier de nettoyer régulièrement la poussière qui se dépose sur leurs feuilles et qui diminue leur capacité à fixer les polluants. Pour une pièce de 20 m², deux ou trois plantes suffisent !

Terrarium : je crée un micro monde

Bocal d'apothicaire, vase à col resserré, aquarium… ces récipients transparents peuvent être détournés de leur usage premier pour accueillir des plantes. On crée ainsi de mini-serres végétales appelées « terrariums » où des espèces comme le ficus ginseng, le lierre, l'asparagus ou encore les fougères apprécient l'atmosphère chaude et humide. Avec trois plantes, on crée déjà un paysage ! Un terrarium, c'est bien plus qu'une déco green : c'est un écosystème miniature, plein de poésie et qui vit sous vos yeux ! Il se plaît partout chez vous, sur une étagère ou un coin de bureau, à condition de n'être jamais exposé à la lumière directe du soleil.

7 étapes en pas à pas…

1. **Nettoyez très soigneusement l'intérieur** du récipient pour éliminer les micro-organismes susceptibles d'entraîner des moisissures ou des maladies.

2. **Versez environ 2,5 cm d'une couche de drainage** (billes d'argile ou gravier).

3. **Recouvrez de terreau.** La quantité dépend de la hauteur du récipient et des plantes choisies : ajustez de manière à ce que les feuilles ne dépassent pas du haut du contenant. Tassez pour évacuer les poches d'air.

4. **Creusez autant de trous que nécessaire** et placez-y chaque plante. En les maintenant bien à la verticale, aplanissez le terreau autour de manière à ce qu'elles soient bien maintenues en place. Avec une petite pelle, ajoutez du terreau pour que les racines soient bien recouvertes.

5. **Arrosez la base de chaque plante** et placez éventuellement des cailloux pour les stabiliser et de la mousse pour maintenir l'humidité.

6. **Ajoutez les éléments de décor** : lichens de différentes couleurs, pierres, bois flotté, etc.

7. **Bonne nouvelle : grâce au cycle de l'eau, les besoins en arrosage sont très faibles** et votre composition ne devra être arrosée que quelques fois par an (2 à 3 fois si vous fermez avec un couvercle, un peu plus sinon).

Julie et Marie, deux jeunes paysagistes, animent des ateliers nomades en Île-de-France pour apprendre l'art de réaliser des terrariums. Contactez-les pour organiser une green session chez vous entre amies ! www.ortiecreations.com

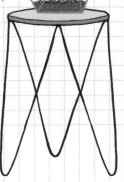

Green art

La nature porte déjà en elle tous les composants d'une œuvre d'art. Mais rien ne vous empêche de l'utiliser pour développer votre créativité. Nous vous proposons quatre idées de land art à réaliser *in situ*. Et pour que votre inventivité green ne s'arrête pas lorsque vous rentrez chez vous, adonnez-vous à un art floral très ancien et très en phase avec notre besoin de reconnexion avec la nature : l'ikebana.

Creative land art au fil des saisons

Le land art est à la nature ce que le street art est à la rue : dans ce mouvement artistique, les œuvres sont intégrées à un paysage et les matériaux utilisés sont naturels (feuilles, bois, terre, pierres, etc.). Exposé aux éléments, le land art est par essence éphémère : le pratiquer de manière méditative permet non seulement de se reconnecter au monde végétal, mais aussi de percevoir la dynamique subtile de la nature, à la fois fragile, harmonieuse et en perpétuelle transformation. Les artistes de ce mouvement utilisent la photographie pour garder le souvenir de leurs créations. Réalisez des clichés de vos œuvres et partagez-les sur Instagram afin de créer du lien avec votre communauté green ! Tout est possible en land art : il suffit de s'installer dans la nature et de jouer avec les éléments.

Au printemps : je compose un mandala de fleurs

Le terme « mandala » signifie « cercle » et désigne un art spirituel pratiqué par les moines bouddhistes. Ceux-ci élaborent patiemment leur œuvre afin que le résultat soit à la fois esthétique, symétrique et harmonieux. Le but est de l'offrir au dieu Bouddha avant de le détruire d'un revers de main : le mandala sert à rappeler que tout est éphémère ! La pratique favorise le calme et la concentration. Une activité sereine qui, lorsqu'on utilise des végétaux, permet de se recentrer au contact de la nature. Au printemps, la profusion de fleurs permet de créer des mandalas très colorés et d'autant plus raffinés que vous choisirez de petites formes végétales.

En pratique...

1. Récoltez plusieurs fleurs de couleurs différentes.
2. Cueillez aussi des feuilles, des brindilles, etc.
3. Placez au centre une fleur que vous voulez mettre en valeur.
4. Disposez les autres éléments en formant des cercles concentriques, en commençant par le centre. L'ensemble doit être symétrique pour créer une harmonie.

En été : je trace une spirale d'algues marines

La spirale est une forme emblématique du land art. La Spiral Jetty (« Jetée en spirale ») créée en 1970 dans l'Utah aux États-Unis est l'un des premiers grands projets de ce courant artistique. Or cette forme se retrouve partout dans la nature (notre ADN forme une double hélice !). Elle symbolise la vie et le temps. En été, on peut réaliser des spirales à l'aide d'algues séchées ramassées sur la plage. N'hésitez pas à utiliser tout autre matériau végétal que vous rencontrez pendant vos vacances !

En pratique...

1. Ramassez des algues séchées.

2. Trouvez un endroit propice à la création : au bord de l'eau pour qu'elle retourne à la mer quand la marée sera haute, ou plus loin pour pouvoir contempler son évolution sur plusieurs jours.

3. Partez du centre pour dessiner la spirale.

4. Avec des cailloux et des coquillages, formez un cercle autour pour délimiter votre œuvre.

En automne : je dessine un damier de baies sauvages

Pendant cette saison qui invite particulièrement aux promenades en forêt, on peut créer des œuvres aux couleurs très variées en utilisant des baies et des feuilles. On peut les aligner sur plusieurs niveaux, formant d'élégants damiers sur le bord d'un sentier... Une surprise pour les autres promeneurs au détour du chemin !

En pratique...

1. Récoltez environ 25 baies (de houx, d'églantier, d'aubépine, etc.) et le même nombre de feuilles de couleurs différentes.

2. À l'aide d'aiguilles de pin ou de petites branches, créez un quadrillage de 5 carrés sur 5.

3. Dans chaque carré, placez une feuille en alternant les teintes rouges, orange, jaunes et vertes.

4. Sur chaque feuille, placez une baie (on peut aussi utiliser des pommes de pin).

En hiver : je crée des icy leaves

En hiver, on peut se servir du froid pour créer des œuvres uniques avec des feuilles ou d'autres organes végétaux que l'on va figer dans la glace.

En pratique...

1. Récoltez une ou plusieurs belles feuilles.
2. Le soir, faites-les tremper dans un peu d'eau sur votre balcon ou au creux d'un chemin.
3. Le lendemain matin, retrouvez-les gelées !
4. Mettez en scène ces feuilles figées par la glace en vous servant de la photographie pour garder une trace de ces créations éphémères. #photooftheday

Art floral from Japan

L'ikebana est l'un des trois grands arts traditionnels japonais. Il permet de réaliser des compositions florales très personnelles pour décorer son intérieur. On traduit le mot par « faire vivre les fleurs ». À l'origine, il s'agissait de réaliser des offrandes pour les temples bouddhistes. De l'extérieur, on voit de simples bouquets de fleurs épurés : en réalité, ces arrangements floraux symbolisent l'union entre l'être humain, la terre et le ciel, une manière d'exprimer son amour pour la nature ! Ramassez des végétaux qui vous inspirent (fleurs, branches, feuilles, etc.) et complétez chez le fleuriste afin d'obtenir une composition adaptée...

1. **un végétal de taille moyenne** (des fleurs délicates ou un feuillage texturé) pour symboliser l'humain,
2. **un second plus volumineux et horizontal** (une grosse feuille, par exemple) pour représenter la terre,
3. **une forme haute** (une branche ou une fleur à longue tige) pour figurer le ciel.

L'ikebana se pratique en pleine conscience : pensez par exemple à la place de l'humain dans la nature...

En pratique...

1. **Réunissez les trois éléments** végétaux de l'ikebana.
2. **Choisissez un vase et placez au fond un pique-fleurs** (ou *kenzan*), ou à défaut un bloc de mousse dans lequel vous allez fixer les plantes.
3. **Placez d'abord le « ciel », puis l'« humain » au centre, et enfin la « terre »**, inclinée pour la rapprocher de l'horizontalité. La composition doit être asymétrique pour évoquer le mouvement.

> **Pour composer votre premier ikebana**, rendez-vous sur Pinterest ou sur Instagram où vous trouverez de l'inspiration !

Comment choisir son tattoo floral ? Les conseils de Carin Silver, tatoueuse du salon Les Maux Bleus à Paris (www.lesmauxbleus.com)

« On peut tout dire avec les fleurs, sans avoir besoin de l'écrire. Un tattoo floral peut exprimer un sentiment, un moment de sa vie. Il peut rendre hommage à une personne. Le coquelicot revient souvent, pour symboliser l'indomptable, la liberté ou l'enfance. On peut même choisir une fleur parce qu'on aime son parfum : fleurs d'oranger, lilas, jasmin… Les tatouages représentant des bouquets permettent d'associer plusieurs idées ou plusieurs personnes (frères et sœurs, grands-parents…). »

Carnet d'adresses

Pour mieux connaître les plantes médicinales et comestibles (tisanes, cueillette...)

L'association Vieilles Racines et Jeunes Pousses : www.vieilles-racines-et-jeunes-pousses.fr
Les paysans-herboristes de Naturellement Simples : www.naturellementsimples.com
Le site de Christophe de Hody : www.lechemindelanature.com
L'École lyonnaise des plantes médicinales : www.ecoledeplantesmedicinales.com
Le site de Françoise Couic-Marinier : www.au-bonheur-dessences.com

Pour acheter des plantes médicinales

Herboristerie du Palais-Royal à Paris : www.herboristerie.com
Herboristerie du Père-Blaize à Marseille : www.pereblaize.fr
Herbéo à Bordeaux : www.herbeo.fr
L'Aromathèque à Caen et à Lyon : www.laromatheque.fr
Le site marchand www.comptoirdherboristerie.com
Les tisanes de Thierry Thévenin, paysan-herboriste du Syndicat des SIMPLES : www.herbesdevie.com

Pour trouver un thérapeute

Association de médecins formés à la phytothérapie : www.phyto2000.org
Le site www.annuaire-therapeutes.com
Le site d'une conseillère en Fleurs de Bach® : www.gueristoitoimaime.com

Blogs de beauté green

www.mangoandsalt.com
www.friendly-beauty.com

Pour découvrir l'univers de la cosmétique DIY

Le site de la Slow cosmétique : www.slow-cosmetique.com
Aroma-Zone : www.aroma-zone.com
Gratteron et Chaussons en Ariège : www.gratteronetchaussons.fr
Mademoiselle Biloba à Lille : www.mademoiselle-biloba.fr

Pour des vacances vertes

Ecogîtes de France : www.ecotourisme.gites-de-france.com
Les Collines de Sainte-Féréole : www.residencelescollines.com
Le réseau de glamping Huttopia : https://europe.huttopia.com
Le réseau des Wwoofers : www.wwoof.fr
Le site de John C. : www.ecoledevieetsurvieenforet.com

Pour cultiver son potager urbain

L'association Verpopa Montpellier : www.verpopa.wordpress.com
Le verger Essen'Ciel à Grenoble : www.levergeressenciel.blogspot.com
Les Incroyables Comestibles : www.incredible-edible.info
La Sauge (Société d'agriculture urbaine généreuse et engagée) : www.lasauge.fr
Box d'initiation au potager urbain : www.laboxaplanter.com

Pour manger écolo

Site des AMAP : www.miramap.org
Site de La Ruche qui dit oui : www.laruchequiditoui.fr
Site du réseau Cocagne : www.reseaucocagne.asso.fr
L'association Bon pour le climat : www.bonpourleclimat.org

Pour revoir sa déco en green

Vente de plantes à Paris à et Bordeaux : www.plantespourtous.com
Ateliers terrarium : www.ortiecreations.com

Bibliographie

La Vie secrète des arbres, de Peter Wohlleben, éd. Les Arènes, 2017.
Mon cahier Huiles essentielles, de Françoise Couic-Marinier, éd. Solar, 2017.
Créez vos cosmétiques bio, de Sylvie Hampikian, éd. Terre Vivante, 2007.
Les Plantes sauvages. Connaître, cueillir et utiliser, de Thierry Thévenin, éd. Lucien Souny, 2012.
Famille zéro déchet, Ze guide, de Bénédicte Moret et Jérémie Pichon, éd. Thierry Souccar, 2016.
Les Plantes et la maison, de Caro Langton et Rose Ray, éd. Le Rouergue, 2017.

Le magazine mensuel *Plantes & santé* (Ginkgo média) : www.plantes-et-sante.fr

Remerciements

Merci à Agathe Thine la yogi bio, Arnaud Lerch le naturo, Bruno Vitasse l'urban brasseur, Carine Mayo la journaliste nature, Carin Silver la tatoueuse de fleurs, Christophe de Hody le cueilleur urbain, Julie Garnier l'influenceuse green, Lucile Chapsal et Lise Saporita les « cueilleuses de paysages », Mélanie Dupuis la grimpeuse green, Nathalie Auzeméry qui ose les fleurs, Séverine Pioffet la paysanne-herboriste, Sophie Anley la militante, et à toutes les sorcières, les écolo urbaines et les personnes qui voient la vie en vert !
Un merci spécial à JB (sexy « boy with plants »), à la douce Olivia et à la spicy Nina.

CARNET D'ADRESSES ET BIBLIOGRAPHIE